Schaatsen naar Antarctica

Jenny Diski

Schaatsen naar Antarctica

Vertaald door Inge Kok

Uitgeverij Atlas - Amsterdam/Antwerpen

Uitgeverij Atlas maakt deel uit van Uitgeverij Contact

© 1997 Jenny Diski
© 1998 Nederlandse vertaling: Inge Kok
Oorspronkelijke titel: *Skating to Antarctica*
Oorspronkelijke uitgave: Granta Books, Londen

Omslagontwerp: Marjo Starink
Omslagillustratie: SYGMA / ABC Press
Foto auteur: Ronald Hoeben
Typografie: Adriaan de Jonge

ISBN 90 254 2166 0
D/1998/0108/628
NUGI 301

Inhoud

'Ik vraag me af of ik het niet weer over mezelf heb. Zal ik dan helemaal nooit over een ander onderwerp kunnen liegen?'

Samuel Beckett, *Malone meurt*

Voor Chloe zonder wie

Schrödingers moeder

Ik ben niet helemaal tevreden over de hoeveelheid wit in mijn leven. Mijn slaapkamer is wit: witte muren, ijzige spiegels, witte lakens en slopen, witte jaloezieën. Verder kon ik niet gaan. Een soort gebrek aan moed – ik wilde geen extreme indruk maken – heeft me ervan weerhouden een wit ledikant en witte nachtkastjes te nemen. Die zijn van hout en ze irriteren me een beetje. Het wit wordt door een wand van spiegelkasten tegenover mijn bed naar zichzelf teruggekaatst, waardoor de piepkleine kamer twee keer zo groot wordt als hij dacht dat hij was. Een tijdje geleden heb ik een aannemer in huis gehad om een andere kamer te maken. Hij wilde weten wat ik met de muren ging doen. 'Wit,' zei ik, 'net als alle muren in de flat.' 'Dat zal wel een eind maken aan geruzie over het behang,' zei hij niet erg enthousiast. Dat was de enige goede reden voor witte muren die hij kon bedenken.

Wanneer ik 's morgens bij het wakker worden zorgvuldig goed ga liggen, kan ik mijn ogen opendoen en louter wit zien. Het zachte wit van het laken, met de donkere witte schaduwen in de plooien van het dekbed. Een brutalere tint wit met getrokken lijnen waar de muren het plafond raken of de hoek om gaan, hoeken van negentig graden in witte schakeringen. Een herhaling van wit wanneer ik mijn ogen iets ophef naar de spiegel tegenover me. Vroege momenten van onbeschrijfelijke tevredenheid. Uiteindelijk moet ik kleur in mijn dag toelaten, maar ik kan me een poosje wentelen in een schijnbaar oneindige zee van wit.

Als ik de oorsprong van dat verlangen naar witheid probeer te achterhalen, is het begonnen met het idee een patiënt in een psychiatrische inrichting te zijn. Niet tijdens mijn eerste verblijf in een inrichting in Hove, toen ik veertien was, maar later, toen ik twintig en eenentwintig was, is op de afdeling psychiatrie van het Londense Maudsley Hospital het ziekenhuis voor mij de ideale omgeving geworden. Witte ziekenhuislakens leken me een belofte van iets waar ik werkelijk naar verlangde: een veilige plek, witte vergetelheid. Vergetelheid was strikt genomen wat ik eigenlijk zocht, maar volgens mij waren witte ziekenhuislakens daar een benadering van.

In feite was de werkelijkheid van het ziekenhuis in Londen nogal anders, hoewel de lakens inderdaad wit waren. De halfgekke hoofdzuster Winniki – de eeneiige tweelingzuster van *Big Nurse* – rukte 's morgens altijd veel te vroeg in naam van de geestelijke gezondheid de harde lakens van me af. 'Op, op, op, juffrouw Siemonds. Ve moeten niet ien bed blijven liegen, daar vorden ve depressief van.' Ik was depressief en verlangde slechts naar de juiste omstandigheden voor mijn depressie, maar in het gekkenhuis mochten we niet depressief zijn. Toen ik begin twintig was, heb ik met onderbrekingen achttien maanden in Maudsley en andere Londense ziekenhuizen doorgebracht zonder te krijgen wat ik werkelijk zocht.

Zuster Winniki was net een windvlaag. Ze stormde met

een opmerkelijke snelheid door haar afdeling – of, zoals ik het zag, door míjn afdeling – en praatte in het voorbijgaan met haar Zuid-Londense, zangerige, Estlandse accent. 'Hoe maken ve het vandaag?' riep ze, maar tegen de tijd dat je een antwoord had bedacht, was ze verdwenen. Dus kreeg de ene patiënt te horen dat er die dag een ecg zou worden gemaakt, een andere dat de zuster het tegen de dokter zou moeten zeggen als ze niet naar de bezigheidstherapie ging, en weer een andere dat ze andere medicijnen kreeg. Zuster Winniki had alles onder controle, hoewel je het gevoel kreeg dat ze de zaak slechts in de hand had zolang ze in beweging bleef en op haar hakken, met haar knippende, zwartgekouste benen voortsnelde, terwijl haar fel oranje gestifte mond er opdrachten en aanmoedigingen uitgooide. Een gezonde afdeling met psychiatrische patiënten hoorde volgens haar een bedrijvige afdeling te zijn, maar psychiatrische patiënten zijn niet erg goed in bedrijvigheid, behalve natuurlijk de mensen die er te goed in zijn, dus bestond er een voortdurende spanning tussen Winniki's wervelwind en onze apathie. Ik moest de strijd aanbinden met zuster Winniki om ook maar een minimum aan vergetelheid te verwerven en aangezien het bij vergetelheid juist een kwestie is van alles of niets, kon ik nooit zegevieren.

Toen een ziekenhuisopname geen succes was, bracht ik mijn fantasie over op het idee van een monnikscel. Een klein, kaal, wit vertrek zonder iets om de blik af te leiden van de leegte en een strikte regel van stilte, slechts verbroken door het vaste ritmische ritueel van de liturgie, hadden alle voordelen van een ziekenhuis (soberheid en passiviteit, met op gezette tijden een maaltijd en medicijnen), zonder het nadeel van zuster Winniki. Een misvatting, want er zou ongetwijfeld een broeder Winniki zijn om me tot nuttige actie aan te sporen. Omdat ik echter nergens met mijn fantasie naar toe kon, aangezien ik zowel de verkeerde godsdienst als het verkeerde geslacht had, nam ik heel volwassen genoegen met het compromis mijn slaapkamer bijna helemaal wit te maken en in elk geval 's morgens een totale witheid te bewerkstelligen. Dat is iets, maar het is niet echt genoeg. Hoewel ik er heel goed in ben om te krijgen wat ik wil hebben, is de wereld er nog beter in om te zorgen dat ik er slechts even iets van kan proeven. Zuster Winniki gaat nooit helemaal weg; uiteindelijk moet ik de dag beginnen en vult de lege, witte wereld zich met kleur.

Ten slotte vond ik de oplossing, moeiteloos, zoals dat met die dingen gaat. Plotseling is er een moment waarop een gedachte in je hoofd zich openbaart alsof ze er altijd is geweest, alsof je nooit anders hebt gedacht. Soms denk ik dat ik helemaal niet denk, als denken tenminste een bewust proces inhoudt, waarbij de geest de aard en oplossing van een probleem uitwerkt. Daar schaam ik me een beetje voor. Ik wou dat ik echt dacht, zoals echte mensen schijnen te denken.

Maar goed, de gedachte was er. De zuidpool. En daarmee een verlangen, even gebiedend als een seksuele obsessie, dat ik de zuidpool wilde hebben en dus moest hebben. Ik heb er niet altijd naar verlangd om naar de zuidpool te gaan, heb er zelfs niet bijzonder graag naar toe gewild, maar de gedachte was even sterk als wanneer het een droom was geweest die ik mijn leven lang had gekoesterd. Misschien is het mogelijk een droom achteraf levenslang te hebben gekoesterd.

Net als bij een seksuele obsessie was de droom van de zuidpool lastig; ik zou er iets voor moeten doen, er tijd voor moeten vrijmaken in mijn geregelde leven in de studeerkamer, ervoor moeten reizen – en ik houd niet van reizen. Ik redeneerde bij mezelf: er is gedurende de hele wereldgeschiedenis slechts een handjevol mensen op de zuidpool geweest; er was geen enkele reden waarom ik, alleen omdat me dat leuk leek, er een van zou zijn. Statistische gegevens moeten ervoor zorgen dat je niets kan gebeuren. Het was geen ramp als ik niet naar de zuidpool ging; daar ging bijna niemand naar toe. Er zou niets ergs gebeuren als ik het eind van mijn leven bereikte zonder daar te zijn geweest. Maar voor mij was het idee dat ik er niet naar toe zou gaan, desondanks een ramp. Een irrationele maar onverteerbare ramp. Dit is heel belangrijk voor me, antwoordde ik mijn argumenterende ik, maar ik kon niet uitleggen waarom. Net als bij een seksuele obsessie, zoals ik al zei.

De noordpool was gemakkelijker geweest, maar ik voelde er niets voor om naar het noorden te gaan. Ik wilde witheid en ijs voor zover het oog reikte en ik wilde het op de enige onbewoonde plek ter wereld – de pinguïns, robben en het basiskamppersoneel voorlopig daargelaten. Ik wilde een plek waar zuster Winniki niet kon bestaan. Ik wilde een buitensporig vergrote versie van mijn witte kamer. Dat was de zuidpool en niets anders.

Het bleek niet zo eenvoudig te zijn om naar de zuidpool te gaan. Er is geen bepaalde instantie waartoe je je kunt wenden. Maar zoals gedachten ineens in je opkomen, weten ook kleine advertenties je aandacht te trekken als je eenmaal iets in je hoofd hebt. *De zuidpool – de cruise van uw leven*, stond er. Ik vroeg de brochure aan. Ondertussen belde ik de British Antarctic Survey (bas) in Cambridge.

'Hoe kom ik op de zuidpool?' vroeg ik.

'Bent u wetenschapper?'

'Nee, ik ben schrijver.'

Dat klonk zwak naast de echo van 'wetenschapper'. De vrouw van de bas dacht er duidelijk ook zo over.

'U kunt er niet naar toe als u geen wetenschapper bent die met een specifiek onderzoek bezig is.' Was ze familie van zuster Winniki?

'Waarom niet?'

'Omdat de British Antarctic Survey is opgericht om het milieu te beschermen voor serieuze wetenschappelijke doeleinden.'

'En hoe zit het met serieuze literaire doeleinden?'

Ze zei dat ze interviews voor me kon regelen met mensen die een tijd op de Britse zuidpoolbases hadden doorgebracht.

'Hebt u ooit overwogen een gastschrijver toe te laten?' vroeg ik me af.

Het is niet helemaal waar dat ze de hoorn erop legde, maar het gesprek was afgelopen.

Ik belde wat rond naar mensen die misschien meer zouden weten en naar mensen die wellicht mensen kenden die misschien meer zouden weten. Het werd duidelijk dat de BAS de sleutel, en de enige sleutel, tot het witte continent was en dat mijn kansen om die te overreden praktisch nul waren. Er waren elk jaar enkele plaatsen voor de pers op hun schepen, maar toen ik daarover terugbelde, zeiden ze dat die plaatsen al twee à drie jaar van tevoren waren volgeboekt, voor het merendeel door de BBC-televisie – een organisatie waarmee ik me wat aanzien en draagkracht betreft nooit zou kunnen meten. Ik kon, als ik dat wilde, een schriftelijk verzoek om een plaats indienen, maar de kans dat ik er zou komen leek verder verwijderd in tijd en waarschijnlijkheid dan de zuidpool in ruimte.

De mogelijkheid om een zomer door te brengen in een kamp op de onmetelijke ijsvlakte begon te verdwijnen. De wetenschappers hadden kennelijk een heel continent louter en alleen voor hun eigen doeleinden afgezonderd. Omdat hun oogmerken zuiver waren, kon niemand er zonder hun toestemming naar toe en vanwege hun zuivere oogmerken was de laatste zuivere plek op aarde aan hen toevertrouwd. Verder zijn we allemaal lichtzinnige plunderaars die in toom gehouden moeten worden. Een dichter of schilder die de leegte en grootsheid wil ervaren van het continent dat bij verdrag van niemand is en daardoor, naar ik aanneem, evenzeer van de dichter en schilder als van iemand anders, zou er niet heen kunnen zonder over de enorme financiële middelen te beschikken die dichters en schilders pas lang na hun dood kunnen aantrekken. Jammer. De zuidpool wordt beheerd door de wetenschappers zoals Mekka onder gezag staat van de mullah's. De godsdienst en de wetenschap hebben geen van beide een onbezoedelde reputatie ten aanzien van het verspreiden van vrede en harmonie binnen hun invloedssfeer. Jammer voor de dichters, vervelend voor mij.

Ik ben niet afkerig van teleurstelling. Die heeft haar eigen speciale genoegens. Teleurstelling is de geheime agenda van de fantasie, een juweel voor de aficionado die de botte negativiteit van het woord kan beduvelen door het te verschuiven in de richting van scheiding en onvergelijkbaarheid. Als je kunt krijgen waar je van droomt (als ik de zuidpool kon krijgen in al zijn witheid, eenzaamheid en immensiteit), zou je ten slotte geen excuus meer hebben. Stel je voor, je bent precies waar je wilt zijn – en wat dan? Wit ja, eenzaam ja, immens ja, maar zal dat in zijn ijzige, lege, onmetelijke werkelijkheid voldoen? In mijn hoofd voldoet het uitstekend; waarom zou ik dan de uiteindelijke teleurstelling opzoeken die de eerdere, kleinere teleurstelling slechts tracht te voorkomen? Het gaat bij een verlangen om het verlangen zelf; de wezenlijke vreugde van het hoopvol verwachten ligt in het verwachten zelf. Het idee dat de wens pas voldoening geeft als hij in vervulling gaat, klopt niet. We geloven slechts door onze stompzinnige nuchterheid dat we onze wensen moeten zien te verwezenlijken. Teleurstelling staat er als een beschermengel tussen. De kloof tussen wat ik wil hebben en wat ik kan hebben, is mijn vriend, mijn beste vriend naar alle waarschijnlijkheid, en dat weet ik. Teleurstelling is een vangnet, waar de ingewijde teleurgestelde heimelijk van moet genieten. Wees dankbaar voor de BAS en voor wie en wat verder maar voorkomt dat je fantasie werkelijkheid wordt.

De brochure kwam en ik stelde mijn dagdromen bij.

Aan bepaalde feiten kun je niet ontkomen. Dat leerde ik vanaf mijn tweede herhaaldelijk op de Queen's Ice Rink. Niets herinnert je zo wreed aan de realiteit als een ijsbaan. Het oppervlak is kunstmatig vervaardigd om zo weinig wrijving te geven als maar mogelijk is terwijl je met allebei je voeten op de grond staat – maar is aan alle kanten ingesloten door een houten schot. Een ijsbaan is een belofte die louter gericht is op het genoegen een teleurstelling te veroorzaken. Als je onophoudelijk wil doorschaatsen, moet je rondjes blijven draaien op het begrensde ijs; je kunt niet eindeloos verder gaan, hoewel het oppervlak je in staat stelt een snelheid te bereiken die slechts bedoeld kan zijn om ongehinderd vooruit te komen.

Over het algemeen geven grenzen me geen gevoel van onbehagen. Ik ben in de stad opgegroeid en grenzen horen bij de stad. Stoepen hielden bij de rand op en werden straten, waardoor ik van richting moest veranderen als ik op mijn driewieler zat, of mijn aandacht op iets anders moest richten als ik wilde oversteken naar het volgende stuk stoep. Dat was even normaal als ademhalen; de geografie van mijn wereld ging gewoon niet eindeloos door. Er waren stopplaatsen, keerpunten en eindpunten in het stedelijke landschap van elke tocht.

Ik woonde op een eiland op een eiland. Ik wist van het grotere eiland dat het aan alle kanten omringd was door zee. Het idee dat er een ander land kon zijn zonder een waterige afscheiding, verbaasde me enorm. Daar kwam ik voor het eerst mee in aanraking toen ik nog heel klein was: we gingen naar België en reden op een dag naar Nederland. Ik vond het heel onwerkelijk en geloofde er niets van. De zee zei dat een land een land was, niet een beambte die aan een grens paspoorten controleerde. En waar waren we, wilde ik weten, als de auto halverwege de lijn was die België en Nederland van elkaar scheidde? 'Dat hangt ervan af,' legde mijn vader uit, 'of je voor of achter in de auto zit.' Dat was interessant, want ik zat altijd voorin naast mijn vader als we met ons drieën in de auto zaten. Mijn moeder zat achterin. Altijd. Door de vreemde omstandigheden van de Belgisch-Nederlandse grens bevonden mijn vader en ik ons in een ander land dan mijn moeder. Toen we die avond België weer inreden, draaide ik me op het beslissende moment om. 'Jij bent nog in Nederland,' zei ik tegen mijn moeder, maar voor ik was uitgesproken was ze ook al in België.

Het eiland binnen het grotere eiland was een flatgebouw op Tottenham Court Road. Paramount Court. Toen ik daar woonde, was er schuin aan de overkant van de weg een plat-gebombardeerde plek, met op het noordelijke uiteinde de meubelzaak Maples en op het zuidelijke uiteinde het gebouw van de Eastmans tandartsopleiding en de betonnen, doodlopende steeg waarin mijn werkelijk enorme doos vuurwerk ooit vlam heeft gevat en is ontploft. Achter het eiland van Paramount Court lag Gower Street, met de gebouwen van London University aan de ene kant en het University College Hospital aan onze kant. Ten westen van het Paramount Court-eiland, aan de overkant van Tottenham Court Road, lagen de hoeken en kieren van Fitzrovia. De noordkant van het flatgebouw grensde aan een Odeonbioscoop – mijn bioscoop. Op de binnenplaats midden in het blok, omgeven door de achterkanten van de flats en de bioscoop, liep een brede steeg bij een zwart metalen brandtrap vandaan, en aan de andere kant van een scheidingsmuur liep een andere steeg bij de zwarte uitgang van de bioscoop vandaan. Dat herinner ik me, allemaal als het vaste landschap van mijn vroege jeugd.

Paramount Court is er nog steeds. Ik kom er een à twee keer per week in de auto langs. Als het stoplicht op de hoek op rood staat, kan ik omhoogkijken naar de vijfde verdieping en de ramen zien van de tweede flat waarin we hebben gewoond. Ik heb vanaf mijn geboorte tot mijn elfde, dat wil zeggen van 1947 tot omstreeks 1958, met mijn moeder en, indien aanwezig, mijn vader in Paramount Court gewoond. Tot mijn zevende hebben we in een tweekamerflat op de derde verdieping gewoond, met uitzicht op de binnenplaats aan de achterkant; daarna zijn we naar boven verhuisd, naar een driekamerflat op de vijfde verdieping aan de voorkant, waar ik van mijn zevende tot mijn elfde voor het eerst een eigen kamer had. Tottenham Court Road is veranderd. Het is nu een eenrichtingsstraat en er is veel meer verkeer; de bioscoop is jaren geleden afgebroken en het terrein ligt nog braak, hoewel het bestemd is voor het nieuwe ziekenhuis dat in de plaats komt van het University College Hospital en het Middlesex. Toen waren er uiteraard ook nog geen elektronicawinkels, aangezien er in de jaren vijftig niets aan elektronica was. Het belangrijkste verschil is, in mijn verbeelding, dat de toegang tot de flats nu is voorzien van een batterij bellen. In mijn tijd stonden de voordeuren open en liepen bezoekers gewoon naar binnen om met de lift naar de flat te gaan die ze zochten.

Die nieuwe intercoms, die vereisen dat je een duidelijke bestemming hebt en je doel op de stoep kenbaar maakt, zijn wellicht de directe oorzaak van een terugkerende droom, waarin ik zonder succes het gebouw probeer binnen te komen, vooral om naar mijn eigen flat te gaan. Ik druk op de bellen en leg uit dat ik gewoon wil kijken naar de flat waarin ik vroeger heb gewoond, maar dan valt de intercom uit. Soms klim ik als een bergbeklimmer tegen de gevel op en probeer ik door de ramen naar binnen te klauteren; een andere keer vlieg ik gewoon, maar het lukt me nooit om in het gebouw te komen, bij de gangen en trappenhuizen waar ik zo graag wil zijn. De ramen zijn dicht of mensen doen ze slechts open om me weg te duwen, weer naar het trottoir beneden.

De stegen achter het flatgebouw, de bioscoop en de zoom van trottoirs om het eiland van mijn flat waren mijn speelterrein. Ik scheurde eindeloos om het blok heen op mijn driewieler, in mijn grote rode skelter, op mijn step en mijn fiets. Ik kalkte hinkelbanen op de stoeptegels en belaagde mensen die in de flats woonden of gewoon door de straat liepen. Het was mijn terrein, mijn stoep. Prince Monolulu, die inmiddels een pub is geworden, woonde in Fitzrovia en was een regelmatige voorbijganger. Hij was geweldig lang en pikzwart, droeg exotische, wapperende gewaden – exotisch voor die dagen tenminste – en had altijd fel gekleurde hanenveren in zijn haar. Hij gaf tips voor de paardenrennen en was een zonderling van beroep. Als we elkaar op mijn stoep tegenkwamen, riep hij steevast: 'Ik heb een paad. Ik heb een paad,' en vielen we elkaar in de armen. Hij zwaaide me rond en kietelde me, grinnikend van vreugde over onze ontmoeting. Ik vond het heerlijk om te worden opgenomen in zijn iriserende, uitbundige sfeer. Er waren ook andere vaste voorbijgangers die ik kende, mensen die naar hun werk of naar huis gingen, of boodschappen gingen doen, een stel zwervers die hun vaste rondje liepen, taxichauffeurs onderweg. We groetten elkaar en maakten een praatje. Ze hoorden bij mijn wereld.

In het flatgebouw bestond elke gang op de zeven verdiepingen uit een lange, smalle L-vorm. Aan het eind van elke lange gang was een glinsterende granieten trap, die de voetstappen en stemmen weerkaatste, maar slechts af en toe, wat hem spannend maakte, aangezien het de achtertrap was die niet vaak werd gebruikt. Bij de liften, vlak voor de gang de hoek van de L om ging, lag de voortrap, die donkergroen was geschilderd, een meer openbare ruimte voor meer sociale stemmingen, als ik niet zo op geheimzinnigheid uit was. Dat was allemaal speelruimte, hoewel de gang die om de hoek van de L lag, gevaarlijk, onbekend terrein was, als het woud aan de rand van een geïsoleerde nederzetting, dat slechts mocht worden betreden als je je uitzonderlijk moedig voelde.

Ik heb nooit het idee gehad dat mijn domein op een of andere manier beperkt was. De kaalheid van de smalle, crèmekleurige, lege gangen, het neutrale tapijt en het onopgesmukte trottoir werd elke dag aangekleed en opnieuw ingericht tot het landschap van mijn keuze. Het leek enorm, onbegrensd, beschikbaar voor elk doel dat ik het wenste te geven en zowel vertrouwd als vol verrassingen. Ik kan me nog steeds geen jeugd in een buitenwijk of op het platteland voorstellen die me zoveel had kunnen bieden. Ik zwierf veel rond terwijl ik alleen speelde, maar er waren ook andere kinderen in het gebouw met wie ik in de flats speelde, Helen, Jonathan en Susan, bij wie ik aanklopte en bij wie ik weleens theedronk en die soms bij mij thuis theedronken. Dus droom ik er nog steeds van om terug te gaan en door de gangen te dwalen, om de brandtrap op te lopen en de spelletjes te spelen en mezelf de verhalen te vertellen die ik in de omgeving van mijn kindertijd heb verzonnen.

Binnen de muren van Paramount Court begon ik mijn leven met ouders die over veel contanten beschikten. De winstgevende dagen van de zwarte markt stelden mijn vader nog steeds in staat veel geld mee naar huis te brengen en de resterende sieraden die mijn moeder van haar eerste man had gekregen, werden verkocht om te zorgen dat ze zich rijk bleef voelen toen het was afgelopen met de zwarte markt. Tijdens mijn eerste drie of vier levensjaren vormde mijn moeders wanhopige behoefte om haar rijkdom te tonen geen probleem. Van alle dingen in haar leven was ik daar het meest geschikt voor: ze ging naar het buitenland voor mijn wollen hemdjes – die ik verfoeide omdat ze kriebelden; 'ze kunnen niet kriebelen, want het is de beste Belgische wol,' maar dat deden ze wel; ik zweer het je; ik voel ze nog –, ze kleedde me net als de kleine prins en prinses in jasjes met fluwelen kraagjes en zorgde ervoor dat ik altijd witte handschoenen droeg en onberispelijk gestreken satijnen strikken in mijn haar had. Nog voordat ik kon lezen stond mijn boekenkast al vol met alle klassieke kinderboeken (sprookjes, verhaaltjes voor het slapen gaan, wonderlanden, nimmerlanden) en diverse boeken voor volwassenen die eruitzagen alsof ze voor kinderen konden zijn (*Jane Eyre, Gulliver's Travels* en *A Tale of Two Cities*), hoewel ik me niet kan herinneren dat mijn ouders een ander boek hadden dan *The Diary of a Nobody*. Ik had dagelijks schaats- en balletles en had op mijn eerste school bovendien extra spraakles. Mijn ouders waren allebei kinderen van geïmmigreerde joodse arbeiders en ze streefden naar materiële rijkdom voor zichzelf en zowel materiële rijkdom als cultuur voor hun kind. Toen de geldstroom opdroogde, deed mijn moeder dapper haar uiterste best om te zorgen dat ik er hetzelfde bleef uitzien – de witte handschoenen verdwenen als laatste. Maar uiteindelijk kwam er definitief en tegelijkertijd een eind aan het geld, het krediet en mijn vaders aanwezigheid. Toen ik elf was, woonden mijn moeder en ik in datzelfde flatgebouw in een lege schaal, doordat alles, inclusief mijn boeken, maar exclusief de witte handschoenen, door de deurwaarders was weggehaald, en zaten we te wachten tot we eruit zouden worden gezet.

Ondanks mijn waardering voor grenzen, maakten de beperkingen van de ijsbaan me als klein kind echter kwaad. Ik neem aan dat er geen enkele reden was waarom ik het niet allebei wilde hebben: het veilig omsloten maar denkbeeldig te vergroten speelterrein thuis en een ijsbaan die eindeloos doorliep. Ik heb nooit beweerd dat ik een consequente houding erg bewonder of in hoge mate bezit.

In mijn herinnering was het mijn moeder die me naar de ijsbaan bracht – elke dag, lang voor ik oud genoeg was om naar school te gaan. Je kon eerder schaatsen dan lopen, zei ze later altijd. Er waren witte enkellaarsjes, eerst de kleinste die de winkel bij de ijsbaan kon maken, glimmende zilveren schaatsen en witte leren hoezen om de ijzers te beschermen. Om de paar maanden moest er een nieuw paar komen. Ik geloof dat ik me de stoel kan herinneren, en een sneeuwpak dat ik droeg voor ik vorderde tot een kort schaatsrokje. Ik had elke dag een uur officieel les en werd vervolgens geacht te oefenen, onder de aanmoedigende blik van mijn moeder, die vlak bij de open toegang tot de baan achter het schot zat, gehuld in een jas van zware zwarte stof met een bontkraag. Het was een koude plek voor toeschouwers, maar moeders zaten er warm ingepakt thee uit het café te drinken en te kijken hoe hun kinderen over het ijs rondtolden en voortsnelden. Het is geen sterke herinnering aan haar, gewoon dat ze daar zat en me aanmoedigde nog meer te oefenen.

Het ijs zelf staat me helderder voor ogen; het is heel gemakkelijk te bereiken in de geheugenbanken van al mijn zintuigen. Het is heel moeilijk je de ervaring van lopen te herinneren, hoewel ik net een kop thee vanuit de keuken naar mijn studeerkamer heb gebracht. Ik moet me erop concentreren het gevoel van de grond onder mijn voeten, het afwikkelen van elke voet van hiel tot bal en het verschil bij de overgang van de houten vloer naar het tapijt tot leven te wekken. Als ik terugga naar de keuken, terwijl ik me er volledig van bewust probeer te zijn hoe het voelt, verlies ik het wezenlijke aspect van lopen, namelijk dat het een onbewust proces is. Haal het gevoel terug en je raakt de werkelijkheid kwijt. Met schaatsen ligt dat anders, hoewel ik het niet meer heb gedaan sinds ik een klein kind was. Mijn voeten hebben de herinnering aan het schaatsen behouden, doordat het geen natuurlijke ervaring voor voeten is om van voetzool tot enkel klem te zitten in een onbuigzame laars en op een ijzer van ruim een halve centimeter te staan, waardoor ze nooit echt de grond raken. Voeten schaatsen niet, maar ervaren het schaatsen. Je bent je door het ijzer heen op een totaal andere manier bewust van de hardheid van het ijs dan wanneer je op een andere harde ondergrond staat. Beton voelt niet zo onbuigzaam en absoluut aan als ijs. Je glijdt over het oppervlak, maar je kunt er niet mee in contact komen, doordat je, in tegenstelling tot bij rotsen en stoeptegels en zelfs beton, niets gewaarwordt van de structuur van het oppervlak, van kleine golvingen, van de aarde die eronder zit. Kunstijs is een solide blok waarvan je de dikte aanvoelt terwijl je over het oppervlak zwiert, zoals een zwemmer de diepte onder zich aanvoelt die hem drijvende houdt. Maar de zee beweegt en maakt contact met het lichaam van de zwemmer, terwijl het ijs mysterieus is, los staat van de schaatser. En toch heeft schaatsen iets magisch als je je vrij en wrijvingsloos voelt voortglijden. Door de duidelijke scheiding tussen jezelf en het ijs waarop je staat, ben je je des te sterker bewust van je eigen lichaam, van zijn zelfdiscipline en zijn vermogen om de juiste dingen te laten gebeuren. En ondanks dat besef van lichamelijke macht is het toch vreemd en net een droom om te schaatsen. Dromen waarin je vliegt, lijken het meest op wat je voelt als je op ijs staat.

De kou van het ijs zweeft omhoog, stijgt op als de hitte van een radiator tot ze tegen je onbeschermde gezicht slaat. Een droog koud gevoel op je wangen is vreemd doordat je binnen bent en dat als weer voelt. Mijn voeten herinneren zich ook hoe lastig het was om over de rubbermat naar de ijsbaan te lopen. Terwijl ik op een stoel naast mijn moeder zat, werden mijn schaatsen, die op haar schoot lagen, om de beurt stevig aangedaan, werden de veters bij elk oogje strak aangetrokken – want de strakheid van de veter om de enkel hield die stijf en was van essentieel belang – en werden ze ten slotte rondgedraaid tot een laatste dubbele strik. Dat kon ik in het begin nog niet zelf. Daarna liep ik op mijn schaatsbeschermers over de mat naar de opening in het schot, strompelend en wiebelend doordat de mat vol kleine vierkante gaatjes zat waarin de achterkant van het ijzer soms bleef haken. Niemand gaf les in het lopen op schaatsen op gewone grond, maar de onbevalligheid was een genoegen door het verschil met het moment waarop ik aan de rand van de baan de beschermers afdeed en mijn eerste stap op het ijs zette. Alle onhandigheid verdween. Plotseling was ik volmaakt uitgerust, met ijzers die aan het glanzende ijs gewaagd waren, en gleed ik bekwaam en nonchalant een enkele meter door om over het schot mijn beschermers aan mijn moeder te geven, zij aan de ene kant, ik in een totaal andere omgeving. Dan duwde ik het schot met mijn hand weg en stak over naar de andere kant van de baan, waarbij de schaatsen een geluid maakten alsof er messen werden geslepen. Ik was net een eend die de herinnering aan het land van zich afschudt wanneer hij het voor hem bestemde element in glijdt.

Elk uur hield het schaatsen op en werd er een soort grasmaaier over het ijs heen en weer geduwd om het glad te maken. De bovenste laag werd verzameld in de paraboolvormige bak voor op de machine, een groeiende berg sneeuwachtig, rijpachtig afval dat naar voren werd geduwd terwijl de machine de bovenste laag ijs afkrabde. Die zat vol krassen doordat tientallen schaatsen er het afgelopen uur zijdelings overheen waren getrokken om tot stilstand te komen, of scherp waren omgedraaid, of putjes in het oppervlak hadden gemaakt wanneer de getande voorkant van de ijzers in het ijs was gezet om zich lekker snel te kunnen afzetten. Dat werd allemaal in een paar minuten weggenomen en daaronder lag weer een zuiver, onberoerd oppervlak van melkachtig wit, blinkend, maagdelijk, gaaf ijs. De daaropvolgende vijftien minuten was de baan alleen voor serieuze schaatsers, voor mensen die oefenden wat ze tijdens hun les hadden geleerd en die dansfiguren instudeerden op de muziek die uit de luidsprekers klonk. In het midden werden figuren geschaatst en daar oefende ik met een handjevol anderen om 2-en, 3-en en 4-en, alle enkele cijfers, in het zacht glanzende, nieuwe ijs te maken. Dat was een andere vorm van schaatsen, zonder ergens naar toe te gaan, eerder meditatief, geconcentreerd op het ijs onder je voeten om de kwaliteit te beoordelen van de cijfers die onder je ijzers verschenen. Ik weet niet meer precies hoe het zat, maar de randen van het ijzer waren van doorslaggevend belang, welke rand, de binnen- of buitenkant, je gebruikte tijdens het achteruitschaatsen om de bovenste gebogen lijn van de 2 te maken, en hoe je draaide en vooruitschaatste op de binnenkant – of de buitenkant – om de staart te maken. Je graveerde het cijfer telkens weer opnieuw in het ijs om een evenwicht tot stand te brengen, met de juiste welving van de ronde lijn en de juiste lengte van de staart. Toentertijd schold ik op dat formele schaatsen. Ik wilde voortsnellen, scherp draaien om achteruit te schaatsen, vervolgens keren en vooruitschaatsen om kleine sprongetjes te maken met knippende bewegingen van mijn benen, en dan de punt van mijn ijzer in het ijs zetten om mijn snelheid, als ik weer neerkwam, nog meer te vergroten. De figuren waren de bouwstenen van die vrije, opzichtige vorm van schaatsen, werd me gezegd. Zij zouden me evenwicht en discipline op het ijs bijbrengen. Het getal 2 liet me draaien en overhellen, waardoor ik uiteindelijk precies zo zou kunnen schaatsen als ik wilde, maar ik moest eerst hard werken om de techniek onder de knie te krijgen. Ik wilde de techniek niet onder de knie krijgen omdat ik zonder een volmaakte techniek ook aardig kon doen wat ik wilde en ik een natuurlijk evenwichtsgevoel had. Het was saai om keer op keer een 2 op het ijs te laten verschijnen terwijl ik vrij zou kunnen rondvliegen.

Nu staat dat idee van een trage, geconcentreerde, nauwkeurige en zinloze bezigheid me wel aan. Ogen naar beneden gericht op het ijzer en met blikken achterom om de kwaliteit te controleren van het cijfer dat je hebt gemaakt, waardoor je ziet dat het niet helemaal in orde is, niet bol genoeg, of ongelijk gerond, met een te lange staart, of niet scherp genoeg aangegeven, en je begint opnieuw om het beter en uiteindelijk goed te doen. Dat doe ik nu in mijn verbeelding, niet de kunstige wervelingen en pirouettes of die prachtige gebogen beweging waarbij je achterover tegen de lucht ligt en je voeten spreidt, met de hakken naar elkaar toe en de benen wijd, om lui achteruit te glijden in een centrifugale halve cirkel. Ik kijk hoe de kampioenen schitterend gebruik maken van hun techniek, maar merk dat ik ervan droom om op een ijsbaan bezig te zijn met de geheimzinnige, complexe bewegingen om een uiteindelijk volmaakte 3 te maken op het gepolijste, ongerepte ijs.

Mijn moeder vond dat eindeloze oefenen om cijfers op het ijs te maken niet zinloos; ze was bereid dag in, dag uit op de koude stoel naast het schot te zitten. Het is nooit in haar opgekomen zelf het ijs op te gaan. De cijfers waren zowel voor haar als voor mijn schaatslerares een middel om een doel te bereiken. Ze zouden de nieuwe Sonja Henie van me maken, de schaatskampioene die in een schaatsende filmster was veranderd. Ik zou de jongste schaatskampioene aller tijden zijn en zij zou de moeder van de kampioene zijn. Dat zou roem, geld, reizen en een goed huwelijk betekenen, en zij zou me op mijn weg naar al die goede dingen vergezellen. Mijn moeder droomde ervan een ijsprinses van me te maken, maar er ging iets mis. Na een tijdje wilde ik niet meer oefenen en bovendien kwam het leven ertussen. Tot haar bittere teleurstelling, hoewel ik denk dat de ironie haar wellicht is ontgaan, kreeg ze een totaal andere ijsmaagd.

Wanneer mensen de afgelopen dertig jaar, zoals dat bij kennismakende gesprekken nu eenmaal gaat, naar mijn ouders vroegen, zei ik dat mijn vader in 1966 was overleden en dat ik sindsdien niets meer van mijn moeder heb gehoord of gezien. Daarop werd vaak, voor mijn gevoel onlogisch, gevraagd of ze nog leefde. 'Dat weet ik niet,' antwoordde ik dan, omdat ik het niet wist.

'Maar wil je dat niet weten?'

'Nee.'

'Dat moet je willen,' hield een geestverwant van zuster Winniki dan vol.

Er schijnt geen eind te komen aan het bereik en de macht van de populaire psychologie. Iedereen weet tegenwoordig dat moeders een wezenlijk onderdeel zijn van elke psyche en dat relaties met moeders weliswaar moeilijk of zelfs afschuwelijk kunnen zijn, maar dat een band met hen desondanks verplicht is. Bijgevolg weet men eveneens dat een ontkenning van die band een onvermogen is om de werkelijkheid van de moederbinding onder ogen te zien.

'Dat moet heel verontrustend voor je zijn.'

'Nee, het is heerlijk voor me.'

Aangezien ik echter evenzeer een kind van mijn tijd ben als ieder ander ben ik niet immuun voor de macht van de populaire psychologie, ondanks al mijn twijfels en ergernissen op dat punt. Ik wist wat ik van mijn moeders afwezigheid vond, maar vermoedde dat ik daarmee slechts de werkelijke gevoelens ontweek die ik volgens iedereen natuurlijk moest hebben. Boze gevoelens, bedroefde gevoelens, schuldgevoelens. Dergelijke gevoelens. Af en toe heb ik ten behoeve van de zelfkennis geprobeerd mijn innerlijk bloot te leggen en door mijn tevredenheid met de situatie heen te dringen, maar onder het sterke verlangen dat deze situatie, en dus mijn tevredenheid, moest blijven bestaan, kon ik geen onderliggend seismisch gebrek ontdekken dat elk moment kon openbreken. Daarop heeft de psychoanalytische theorie uiteraard een pasklaar antwoord: hoe kan ik mijn eigen onderbewuste onderzoeken? Alleen Freud, zo beweert ze, kan dat met succes doen. Volkomen waar als je het idee aanvaardt van een verborgen onderbewuste dat geen ander doel heeft dan informatie bij ons wakende en zelfs slapende ik vandaan te houden. Hoe kan ik in vredesnaam iets weten waarvan ik niet weet dat ik het weet? Daar valt niet tegen te redeneren. Desondanks wist ik enkele dingen van mezelf die ik evengoed voor mezelf had kunnen verbergen, en sommige daarvan deden pijn en gaven problemen. Misschien behoedde het voortdurende raadsel van mijn afwezige moeder me voor iets ergers, waar ik niet tegen was opgewassen. Inderdaad, het behoedde me voor haar als ze nog in leven zou zijn. Maar in dat geval zou ik mijn onderbewuste toch dankbaar moeten zijn voor de geboden bescherming? Het is toch zeker neurotisch om pijn te zoeken wanneer er een gewoon gebrek aan geluk beschikbaar is? Onder invloed van de psychoanalyse zijn we het onderbewuste als onze vijand gaan beschouwen, als iets wat overwonnen moet worden, maar misschien helpt het ons eerder om te overleven. Wat maakt, afgezien van het puritanisme en misschien zelfs het sadisme, het angstige bewustzijn waar ons onderbewuste ons voor wil bewaren, zo bijzonder begerenswaard? Welke dromen heeft de volledig geanalyseerde persoon, wiens onderbewuste is blootgelegd en die zijn psyche onder controle heeft; wat voor spelletjes kan hij doen en met wie kan hij op voet van gelijkheid praten in een wereld waarin de grote meerderheid zich staande weet te houden met een veel duisterder innerlijk leven? Het is natuurlijk allemaal defensief. Maar goed. Ik heb het zoeken naar angst opgegeven en genoegen genomen met naïeve kalmte. Wat ik niet wist, scheen me geen kwaad te doen.

De kwantumtheorie heeft over het algemeen weinig praktisch nut in mijn leven. Als ik boodschappen doe, 's morgens uit bed probeer te komen, mijn BTW bereken of me afvraag wat ik zal aantrekken, heb ik nauwelijks iets aan de kwantumtheorie. Op één terrein is ze echter opmerkelijk relevant.

Laten we, met alle dank aan Erwin Schrödinger[*], een denkexperiment uitvoeren. Stel je een kist voor, met daarin een fles blauwzuur, wat radioactief materiaal, een geigerteller – en mijn moeder. De apparatuur is zodanig met elkaar verbonden dat de geigerteller in werking wordt gezet als er genoeg radioactief materiaal is vervallen en daardoor een

[*] En de uitleg van John Gribben in *In Search of the Edge of Time*, die ik hier in mijn eigen woorden weergeef.

toestel activeert dat de fles kapot zal gooien en zodoende mijn moeder zal doden. We stellen het experiment op, sluiten het deksel van de kist en wachten tot het precies een kans van één op één is dat er voldoende radioactief materiaal is vervallen. In welke staat bevindt mijn moeder zich vóór we het deksel openen om te kijken?

Het gezonde verstand zegt dat mijn moeder ofwel dood is ofwel leeft, maar volgens de kwantumtheorie worden gebeurtenissen als het radioactieve verval van een atoom en daardoor de gevolgen ervan pas werkelijkheid wanneer ze worden waargenomen. De kwestie blijft onbeslist tot iemand het deksel opent en naar binnen kijkt. De toestand van het radioactieve materiaal in de gesloten kist staat bekend als een 'superpositie van staat', een onontwarbaar mengsel van vervallen en niet-vervallen mogelijkheden. Zodra de kist open is en we naar binnen kijken, wordt een van de opties werkelijkheid en verdwijnt de andere. Maar voor we kijken, verkeert alles in de kist, inclusief mijn moeder, in een superpositie van staat, waardoor mijn moeder volgens de kwantumtheorie zolang de kist gesloten blijft tegelijkertijd dood is en leeft.

Sinds ik dit denkexperiment ben tegengekomen ben ik van mening dat de psychoanalytische theorie, wat ze ook over mijn moeder te zeggen mag hebben, eerst Schrödinger moet aanvechten en verslaan voor ik me er volledig door laat overtuigen. De aangeboden keus is de veronderstelling dat ik dertig jaar lang mijn nieuwsgierigheid naar mijn moeders bestaan heb onderdrukt omdat gedachten aan haar onverdraaglijk waren, of dat ik, zonder het zelf te weten, tevreden, om niet te zeggen harmonieus, een erkend verschijnsel van het bekende stoffelijke universum in de praktijk heb gebracht. We kunnen nog een stap verder gaan en zeggen dat de keus tussen de twee theorieën in een superpositie van staat blijft verkeren tot het deksel van een tweede psycho-analyse-versus-kwantumkist wordt geopend.

Die laatste kist zou ik beslist een klein stukje hebben geopend om de uitslag iets in de richting van de zielenknijpers te laten verschuiven als mijn verlangen om naar het grote, witte continent te gaan was opgekomen nadat de kist met mijn moeder was geopend en haar positionele staat voor eens en voor altijd was opgehelderd. De moederkist was echter nog altijd gesloten en er was slechts een uiterst flauwe suggestie dat die ooit geopend kon worden. Desondanks geef ik het bestaan van die vage bedreiging toe en laat ik het deksel van die tweede kist uit naam van de eerlijkheid op zijn minst op een kier staan.

Ik heb mijn moeder voor het laatst gezien op 22 april 1966. Je vindt mijn stelligheid over de datum wellicht veelzeggend, maar die herinner ik me slechts omdat ik weet dat ik haar twee dagen na mijn vaders overlijden voor het laatst heb gezien. De datum in mijn geheugen is zijn sterfdatum.

Op mijn veertiende ben ik na een overdosis opgenomen in de psychiatrische inrichting in Hove, waar ik vierenhalve maand ben gebleven omdat ik nergens naar toe kon, aangezien de verantwoordelijke psychiater me naar geen van mijn ouders wilde laten gaan. Mijn vader woonde in Banbury, mijn moeder in Hove. De moeder van een schoolvriend hoorde ervan en bood aan dat ik bij haar in Londen mocht komen wonen, wat door mij, de psychiater en allebei mijn ouders dankbaar werd aanvaard. Toen mijn vader in 1966 stierf, woonde ik nog steeds bij haar, was ik inmiddels achttien en zat ik twee maanden voor mijn eindexamen.

Twee dagen na mijn vaders dood kwam mijn moeder door

de voordeur naar binnen wandelen en gaf me een paraplu. Een cadeau. Voor aprilse buien en slecht weer. Het was geen gewone paraplu maar een bleek, kobaltblauw ding in de vorm van een pagode, waarvan de spits uitliep in een tere punt, en er zat om de hele onderkant een geschulpte strook van een bijpassend kobaltblauw, chiffonachtig nylon materiaal. Achter het chiffon schijnt de zon; een blauwe hemel en geen wolkje aan de lucht; zoek de zon op; het mooi droog houden; na regen komt zonneschijn.

Ik had al ruim een jaar geen contact meer met mijn vader gehad en afgezien van een akelig moment boven mijn ziekenhuisbed in Hove had mijn moeder hem al veel langer niet meer gezien. Hij was overleden aan een hartaanval, zijn tweede binnen een paar maanden. Na de eerste aanval had Pam, de vrouw met wie hij samenwoonde, mijn moeder geschreven en gevraagd of ze het mij wilde laten weten. Dat had ze niet gedaan.

Mijn moeder zette zich aan de lunch. Ze was bijna koortsachtig opgetogen. *Ze was blij dat hij dood was. Dat was zijn verdiende loon, omdat hij zo'n klootzak was. En ze was geen hypocriet. Ze had altijd gezegd – ze had toch altijd gezegd – ze had het altijd gezegd – dat als ze hem dood in de goot zag liggen, ze hem uit de weg zou trappen en zou doorlopen? En dat zou ze ook doen als ze hem nu in zijn kist zag liggen. Ze zou op hem spugen, zoals hij daar lag. En lachen. Maar eigenlijk dacht ze helemaal niet dat hij echt dood was. Ze dacht dat hij alleen maar deed alsof, die liegende, konkelende rotzak, omdat hij haar dan niet meer haar maandelijkse vijf pond alimentatie hoefde te betalen. Ze dacht...*

De vrouw bij wie ik woonde, was er ook bij en herinnerde me op dat moment, in de overtuiging dat ik iets meer nodig had dan een blauwe paraplu, aan een les waar ik naar toe moest. Ik moest me maar haasten, zei ze, anders miste ik hem nog. Ik had zo'n haast om het huis uit te komen en naar de niet-bestaande les te gaan dat ik geld vergat mee te nemen, dus dwaalde ik naar Camden High Street en zocht mijn toevlucht in de bibliotheek, was bereid mijn moeder een paar uur de tijd te geven om haar energie uit te putten en weer te vertrekken. De bibliotheek had een groot spiegelraam en toen mijn moeder in Camden High Street kwam, sloeg ze niet linksaf naar de bushalte en het metrostation in de buurt, maar onverklaarbaar genoeg rechtsaf en liep pal langs het raam van de bibliotheek. Ze liep er niet echt langs. Ze gilde al toen ze de deuren openduwde. Ik zat er zwijgend bij terwijl ze krijste en huilde, luidruchtig mijn fouten opsomde, die er niet in de laatste plaats uit bestonden dat ik net zo was als hij, een leugenaar, een bedrieger, verraderlijk, harteloos. Allemaal waar trouwens, in die context. Ze verschafte enig dramatisch amusement aan de zwervers die zich daar warm hielden, aan een stel echte studenten en aan de moeders en kinderen die hun boeken voor de komende week uitzochten en tot wie ze zich wendde om hen tot getuigen te roepen van de tragedie van een vrouw met een ontaarde dochter. Toen was haar aria uit en vertrok ze, verliet de bibliotheek in een stilte die in de loop van een normale dag zelden werd bereikt. Ik keek hoe ze langs het raam verdween in de richting van het metrostation Camden Town en vervolgens vermoedelijk terugging naar Hove, na haar dagje uit in Londen. Ik heb haar nooit meer teruggezien.

De dood van mijn vader was een bijzondere gebeurtenis, mijn moeders theatrale gedrag niet, hoewel ze zichzelf had overtroffen doordat ze, zoals ik wel moest toegeven, waarschijnlijk buiten zinnen was geweest door mijn vaders dood. Na zo'n scène volgde er meestal een stilte en dan nam ze weer contact op. Het verbaasde me niet dat ik een tijd niets van haar hoorde.

Mijn moeders stilzwijgen bleef maar aanhouden en ik deed er niets aan. Ik wilde niet met haar praten en dat ze niet met mij wilde praten, was een opluchting, stelde de volgende ruzie uit. De stilte groeide uit tot maanden, toen tot jaren en ten slotte tot decennia. Ik ging vlak voor het examen van school af, ging op kamers wonen, zonk weg in een depressie en begon aan mijn tweede periode van opnames. Na anderhalf jaar had ik een keus: de rest van mijn leven langs de Londense gekkenhuizen trekken of het echte leven in de praktijk gaan brengen. Ik ging naar een lerarenopleiding, werd lerares op een scholengemeenschap in Hackney, trouwde, veranderde mijn naam, kreeg op mijn dertigste mijn dochter, publiceerde op mijn vijfendertigste mijn eerste roman en schreef nog meer romans. Af en toe dacht ik aan de mogelijkheid dat mijn moeder contact met me zou zoeken en fladderde er een lichte paniek door me heen. Het kwam geen moment in me op contact met haar te zoeken. Er waren periodes waarin ik mijn leven scheen te wijden aan het vragen om moeilijkheden, maar hoe erg ik er ook aan toe was, ik was wel zo verstandig niet om dergelijke moeilijkheden te vragen, die waren te vertrouwd, te verontrustend. Uiteindelijk begon het op een vriendelijke daad te lijken. De enige waarlijk grootmoedige daad van mijn moeder die ik echt kon aanwijzen, was dat ze me met rust liet. Ik wist natuurlijk dat ze me naar haar idee verstootte, dat ze een dochter van zich afschudde die een monsterlijk gebrek aan dankbaarheid vertoonde, hoewel ik in dit geval oprecht dankbaar was. Desondanks was het niets voor mijn moeder om iemand erg lang met rust te laten. Dat strookte absoluut niet met haar karakter. Ze had geen vrienden of familie, in elk geval niemand met wie ze nog omging. Ik was alles wat ze nog had om haar teleurstelling in stand te houden. Maar ik vermoedde dat ze een vriend had. Toen ik in de inrichting in Hove verbleef, was ze samen met een man op bezoek gekomen. Hij was de afdeling op gelopen, een kleine stevige man met een witte baard – in mijn ogen had hij er erg leuk uitgezien –, en hij had me een stel harde klappen in mijn gezicht gegeven, hoewel ik eerder van schrik dan door het geweld mijn evenwicht had verloren en op mijn bed was gevallen. 'Dat is voor wat je je moeder hebt aangedaan,' had hij gezegd, waarna hij mijn moeder bij de arm had genomen en de zaal weer uit was gemarcheerd. Ik had hem nog nooit gezien en heb hem sindsdien ook nooit meer gezien, maar misschien was hij er nog steeds, steunde hij haar, en ik was hem ook dankbaar.

Na jaren van stilte kwam ik tot de conclusie dat ze iemand anders had gevonden om wie ze haar leven met meer voldoening kon laten draaien, of dat ze misschien dood was. Zelfmoord was een mogelijkheid, als ik op het verleden mocht afgaan, maar de kans dat ze zelfmoord zou plegen of een poging zou doen zonder er absoluut zeker van te zijn dat ik ervan wist, leek klein. Mijn dochter Chloe groeide op en begon naar haar andere oma te vragen, de oma bij wie ze 's zondags nooit ging theedrinken. Ik legde de situatie bij stukjes en beetjes uit. Ze had aan haar vaders kant een enorme familie: ooms, tantes, neven en nichten, oudooms en een opa en oma. Ik wist werkelijk niets van mijn moeder en ik dacht niet dat Chloe's, maar vooral mijn eigen, leven erop zou vooruitgaan als ik meer te weten kwam. Ik was haar adres al lang geleden kwijtgeraakt en vergeten. In 1966 had ze in Hove gewoond, maar ze kon nu overal wonen. Geïntrigeerd door de ontbrekende oma en nogal ontzet dat die misschien op aarde rondliep zonder te weten dat ze met een kleindochter was gezegend, stelde Chloe toen ze een jaar of twaalf was voor om naar Brighton te gaan. 'Misschien komen we haar op straat tegen,' zei ze.

Ik besefte dat ik de aard van mijn moeder niet helemaal duidelijk had gemaakt, wat te wijten was aan een of ander gangbaar idee dat kleine kinderen normalere familieverhalen moeten horen, dus vertelde ik iets uitvoeriger over het karakter van haar ontbrekende oma en dat ze waarschijnlijk niet het lieve oude dametje zou zijn dat Chloe in haar hoofd had. Dat leek een eind te maken aan haar nieuwsgierigheid. Op een dag gingen we echter werkelijk naar Brighton. Ik moest daar een lezing geven en moet in een enigszins emotioneel roekeloze bui zijn geweest toen ik daarin had toegestemd. Chloe ging mee om kiezels in zee te gooien en uitgebreid thee te drinken in het Grand Hotel.

'Dus luister goed, meid,' zei ik in de trein tegen haar, 'als je een wilde, schreeuwende oude vrouw over straat ziet aankomen, vermoedelijk met een keukenmes in haar hand, die tegen mij gilt, ren je voor je leven. Als je echt je best doet, haal je me wel in.' Ze vond het een leuk grapje, maar ik zorgde er de hele dag voor ver bij Hove vandaan te blijven, terwijl ik mijn zenuwen probeerde te verbergen, telkens over mijn schouder keek en geen winkel en café betrad alvorens rond te speuren naar het type oude dame dat in mijn moeder zou kunnen veranderen.

Om erachter te komen of mijn moeder leefde of dood was, zou ik de kist moeten opendoen. Mijn moeder was wonderbaarlijk genoeg in de kist gekropen en had het deksel zelf dichtgedaan. Als ik het deksel opendeed, zou ik ontdekken dat de ene optie werkelijkheid was geworden en de andere was verdwenen. Ik voelde er niets voor dat de optie dat ze nog leefde werkelijkheid werd. Ik vond het prima als ze leefde, maar ik wenste van de gevolgen daarvan verschoond te blijven. Aan sommige feiten kun je wel degelijk ontkomen. Door de andere mogelijke werkelijkheid, dat ze dood was, zou de status-quo zijn gehandhaafd, maar het risico dat ik louter uit nieuwsgierigheid – die ik niet scheen te bezitten – de verkeerde werkelijkheid zou vinden, was te groot.

Maar hoe zit het dan met de band? Hoe kon die primaire moederbinding aan mij voorbij zijn gegaan? Ik had duidelijk een fatale emotionele beschadiging opgelopen, of ik had de gezondste psyche sinds het begin van de psychoanalytische annalen. Er was nog een mogelijkheid: dat ik domweg slecht was, even harteloos en ongevoelig als mijn moeder me altijd had gevonden. Het erge van deze laatste optie was dat ik die volkomen kalm onder ogen kon zien. Als ik me niet ellendig voelde door het idee dat ik slecht en ongevoelig was, was ik waarschijnlijk ook gewoon slecht. Zo die slechtheid al ergens zat, was dat op de plek waar mijn moederbinding bestond. Dat was een gebied waarover we het eens waren, iets wat we elk afzonderlijk maar toch gemeen hadden, met verschillende implicaties voor elk van ons. Wanneer de geestverwanten en familieleden van zuster Winniki me vroegen of het raadsel van mijn moeders afwezigheid me niet verontrustte, bedoelden ze of ik me schuldig voelde omdat ik niets van haar wist en omdat me dat niet kon schelen. En dat was niet zo. Waardoor de eerder genoemde mogelijkheden alle drie klopten: ik was emotioneel beschadigd, zo gezond als een vis en slecht. Maar vrij van schuldgevoelens. En dat was wellicht een geschenk dat mijn moeder me vrijelijk, zij het zonder het te weten, had gegeven. Zoals ik kon leven met de onzekere toestand van mijn moeder in haar gesloten kist, scheen ik ook te kunnen leven met mijn eigen onzekere staat. Tegenstrijdigheid verbijstert me niet. Ik ben af en toe depressief. Dat vind ik niet leuk, maar dat leidt niet tot verbazing of ontsteltenis. Ook niet bij mijn huisarts. 'U hebt uw wanhoop en gemis nooit aangepakt,' zegt hij, omdat hij in psychologische genezing gelooft. Maar dat doe ik wel, op mijn manier. Die worden door mij doorlopend heel goed aangepakt.

Chloe zat in haar laatste jaar op de middelbare school toen ze me op een dag vroeg hoe je kunt uitzoeken of iemand dood is. Ik draaide eromheen, want bij mijn weten was er slechts één persoon wiens status van levende of dode niet zeker was.

'Je zou het kunnen vragen. Als je geen antwoord krijgt, kun je ervan uitgaan dat de persoon in kwestie dood is.'

Laten we echter zeggen dat mijn liberale instelling en mijn geloof in de voordelen van onderricht het wonnen.

'Zoek uit of er een overlijdensakte is.'

Wat grappig dat het zo eenvoudig en voor de hand liggend was, en wat werd de zin 'ik weet niet of mijn moeder leeft of dood is' daardoor belachelijk.

'Hoe?'

'Vroeger werden de geboorte-, huwelijks- en overlijdensaktes in Somerset House bewaard, maar ze zijn verhuisd.'

Ineens, en met alle opportuniteit waartoe mijn onderbewuste in staat was, kon ik me niet herinneren waar ze naar toe waren gegaan.

'Doe het niet.' Eerder een smeekbede dan een bevel.

'Ik zoek alleen uit of ze dood is; dat is alles.'

'Het bewijst niets als er geen overlijdensakte is. Ze kan wel zijn hertrouwd en onder een andere naam zijn overleden.'

'Maar als er wel een overlijdensakte is, zullen we het weten. En als die er niet is, kan ik de huwelijksaktes natrekken
om uit te zoeken of ze van naam is veranderd.'

Dit begon uit te groeien tot een compleet onderzoekspro-
ject. Mijn dochter de detective werd geboren.

'En als er nu eens geen nieuwe huwelijksakte en geen overlijdensakte is?'

'Dan weten we dat ze leeft.'

'Precies.'

'Dat is alles. Dan weten we dat gewoon.'

Ik zie niet vaak dat een leeftijdsverschil van dertig jaar tot
een beter begrip van de wereld leidt. Chloe's overtuiging dat
ze niets zou doen met de ontdekking dat haar mysterieus afwezige grootmoeder nog leefde, was op dat moment volkomen oprecht. Dat was dan het bewijs dat ervaring je werkelijk wat meer informatie geeft over hoe mensen zijn.

'Ik verbied je om het te doen.'

'Dat kun je niet.'

'Dat weet ik.'

Ik stelde haastig enkele regels op in de wetenschap dat die
even zinloos waren als Chloe's overtuiging dat haar speurtocht zou eindigen als ze geen overlijdensakte vond.

'Als je het wilt doen, moet je het alleen doen. Ik wil er niets
van weten. Je zult de kosten zelf moeten betalen; ik ga het
project niet financieren.'

Ze stemde ermee in, maar wist ik wel zeker dat ik niets wilde weten? Ze wist, zei ze, dat het me éígenlijk toch interesseerde. De populaire psychologie en zuster Winniki slopen
door mijn huis. Ze had een idee; als er een overlijdensakte
was, zou ze het me vertellen, als die er niet was, zou ze geen
woord zeggen.

Ik wees haar op de fatale zwakke plek in dat plan, maar ik

wist dat het geen zin had. Ik had nooit aan de mogelijkheid gedacht dat het bestaan van Schrödingers kist voor mij weliswaar gelukzalige onwetendheid kon inhouden, maar dat het deksel ondertussen ook door iemand anders kon worden geopend. Mijn enige hoop was dat verhandelingen voor het eindexamen en een druk sociaal leven voorrang zouden krijgen boven saai onderzoek in St Catherine's House.

Dit had niemand me gezegd toen ik zwanger was. Er worden je dingen verteld die dan nauwelijks tot je doordringen: hoeveel slaap je te kort zult komen, hoeveel zorgen je je op de hals gaat halen, dat je leven nooit meer helemaal hetzelfde zal zijn. Je knikt bij dat alles en slaagt er op een of andere manier in te geloven dat al die dingen niet voor jou zullen gelden, tot de baby twaalf uur oud is. Maar er wordt je niet verteld dat kinderen op een dag achttien, intellectueel nieuwsgierig en onafhankelijk worden, en dat ze dan in dingen gaan wroeten die het grootste deel van je leven naar volle tevredenheid raadselachtig zijn gebleven. Er wordt je niet verteld dat ze jouw zaken tot hun zaken zullen rekenen. Er wordt je niet verteld dat ze na het onderricht waar jij zo voor bent, in staat zullen zijn iets uit te zoeken wat jij dertig jaar tevreden hebt omzeild. Er wordt je niet verteld dat de regelingen die jij met je psyche hebt getroffen om alles in de hand te houden, terzijde zullen worden geschoven door hun behoefte om hun macht te testen. Of misschien is me dat wel verteld, maar heb ik niet geluisterd.

Ik kreeg een vol jaar respijt. Het schrijven van verhandelingen, clubjes en de spanning van het eindexamen hielden de genealogische nieuwsgierigheid op een afstand, maar in de herfst van 1995, toen de eindexamenfeestjes ten slotte voorbij en de uitslagen bekend waren, niet lang nadat ik

41

voor eind november mijn hut voor de zuidpoolreis had geboekt, kwam het onderwerp opnieuw ter sprake.

'Waar is St Catherine's House?'

Ze was er kennelijk in geslaagd temidden van de examenkoorts toch wat vooronderzoek te doen.

'Zoek maar op,' zei ik terwijl ik mijn passieve verzet versterkte.

'Moeder,' – ze zegt moeder tegen me als ze vindt dat ze me streng moet aanpakken – 'je weet dat je blij zult zijn als je erachter komt wat er met haar is gebeurd.'

'Dochter, je hebt het mis.'

'Maar je bent toch nieuwsgierig. Wat je ook zegt.'

'Als het gemakkelijker voor je is om het doen in de wetenschap dat ik het echt wil weten, wil ik dat jij weet dat ik werkelijk, oprecht, absoluut níet wil weten wat er met mijn moeder is gebeurd.'

Ze glimlachte bevoogdend, zoals alleen therapeuten en je kinderen glimlachen, ging naar het telefoonboek en liep vervolgens naar de deur.

'Op naar St Catherine's House. Tot zo.'

Ongeveer een uur later ging de telefoon.

'Hoe heette ze van zichzelf; hoe spel je Rene en waar is ze geboren?'

'Ik heb je gezegd dat ik je niet zou helpen.'

'Nee, moet je horen, ik vraag alleen de geboorte- en huwelijksakte van je vader aan. Daar is toch niets mis mee? Bovendien heb ik niet genoeg geld voor ook nog een overlijdensakte, als er al een is, en ik kan er niet naar zoeken als ik haar meisjesnaam en geboortedatum niet weet. Dan kunnen ze hier uitzoeken of ze is hertrouwd, voor het geval ze onder een andere naam is overleden.'

'Ik haat dit. Rayner. Ze is niet als Rene ter wereld gekomen. Ik geloof dat het Rachel was. Ik weet het niet zeker. Ik weet niet wanneer ze is geboren. Ik geloof dat ze eind dertig was toen ze mij in 1947 kreeg. Ze moet in East End zijn geboren.'

'Prachtig. De boeken gaan over periodes van vijf jaar. Zo moet het lukken.'

Hoewel mijn verstand nee zei, hield ik mezelf als goede burger voor dat ze evenveel recht op die informatie had als ik. Niet dat ik al geïnteresseerd begon te raken; ik wilde gewoon geen lofwaardige oefening in eenvoudig onderzoek dwarsbomen. Meer was het niet. Heus.

De twee aktes lagen een paar dagen later in de bus. Chloe zwaaide ermee naar me boven de keukentafel. Ik schudde mijn hoofd.

'Ik wil het niet zien. Ik weet dat ze is geboren en ik weet dat ze is getrouwd.'

'Maar hoe zit het met dit "voorheen Sherotsky"?'

'Laat eens zien.'

Ik was vergeten dat ze al getrouwd was geweest toen ze mijn vader had leren kennen. Een man die Sherrick heette, wist ik weer, en die in de kledingindustrie had gezeten. 'Ik had bij hem moeten blijven,' herinnerde ik me. Sherrick had zijn naam kennelijk veranderd, net als mijn vader, om een minder buitenlandse, minder joodse indruk te maken. De huwelijksakte was echt interessant. Rachel Sherotsky, ook wel Sherrick geheten, voorheen Rayner, wier staat werd omschreven als 'voormalige echtgenote van Jack Sherotsky, ook wel Sherrick geheten, van wie ze is gescheiden', was getrouwd met James Simmonds, wiens naam was veranderd door een eenzijdige akte en wiens staat werd omschreven als 'eertijds gescheiden van Melissa Simmonds, voorheen Rosen, ongetrouwd'. De vader van James Simmonds was Samuel Zimmerman, een kastelein die in een nieuw land een nieuw leven was begonnen en een café had geopend in Petticoat Lane. De vader van Rachel Simmonds was Morris Rayner, kennelijk een onafhankelijk man. Rachel en James gaven bij hun huwelijk allebei Paramount Court 38 op als verblijfplaats en zijn rang of beroep was algemeen makelaar. Bij Rachel stond slechts een streep door de kolom beroep. Hij was vijfendertig en zij zesendertig toen het stel in 1946 op de dag voor kerst was getrouwd.

Enig rekenwerk toonde aan dat ze bij die heuglijke gebeurtenis twee maanden zwanger van mij was geweest.

'Oeps,' zei Chloe.

'Oeps,' zei ik.

Al die ook wels en voorhenen; al die namen, van haar en van hem, die waren veranderd en afgedankt. Geen Rene te bekennen. En eindelijk hadden mijn twee opa's een naam, al gold dat niet voor hun vrouwen, Samuel en Morris.

De geboorteakte van mijn moeder bracht ten slotte één oma in beeld: Esther Rayner, voorheen Shinars. En Morris bleek kapper (meester) van beroep te zijn geweest. Rachel, meisje, was geboren op 24 oktober 1910 op Commercial Road 376 in het district Mile End Old Town. Dat waren de feitelijke gegevens over mijn moeder. Maar ze hadden geen van alle betrekking op de volwassen vrouw die in 1966 uit mijn leven was verdwenen, of uit wier leven ik toen was verdwenen. Ze maakten geen van alle de kist open.

'Interessant, hè?' zei Chloe, die de stilte verbrak.

Er verstreek enige tijd voor Chloe weer naar St Catherine's House ging, dus duurde het tot een dag in begin oktober, ongeveer zes weken voor ik naar de zuidpool zou gaan, voor ze me belde. Ze had gezegd dat ze wegging, maar niet waar naar toe.

'Mam, er staat een Rachel Simmonds in het boek die in 1988 in een ziekenhuis is overleden.' Ze klonk op haar hoede. 'Wat denk je?'

'Ik denk dat ze dat weleens zou kunnen zijn.'

'Moet ik een kopie van de overlijdensakte aanvragen? Het zou iemand anders kunnen zijn. Het is niet Rene en het is niet Hove.'

'Vraag maar aan,' zei ik. 'Ik betaal.'

Op zee

De vlucht van Londen naar Buenos Aires duurde eindeloos, waarbij het getekende vliegtuigje dat op het scherm liet zien waar we op dat moment op de kaart zaten en hoe ver we nog moesten gaan, eerst een hulpmiddel en later een handicap was. Aanvankelijk was het bemoedigend om te zien hoe het plaatje van onszelf naar het zuiden vloog, de grenzen van het Verenigd Koninkrijk passeerde en het Kanaal overstak. Het probleem begon ergens bij Zuid-Spanje, toen Afrika en de Atlantische Oceaan in zicht kwamen en duidelijk werd hoe groot de aardbol was in verhouding tot onze afgelegde weg. Het was onmogelijk om niet naar het scherm te kijken, om alles gewoon maar over je te laten komen, hoewel ik me niet kan herinneren wanneer ik alles ooit gewoon maar over me heb laten komen. Toen we Noord-Afrika achter ons hadden gelaten, enigszins naar het westen draaiden en in zuidelijke richting naar en langs de kust van Zuid-Amerika trokken, werd het een soort marteling. Ik deed mijn ogen dicht met het vaste voornemen een hele tijd niet te kijken, maar moest vervolgens even gluren, alleen om te controleren of het plaatje van het vliegtuigje had bewogen. Dat was niet of ogenschijnlijk niet gebeurd. De bewegingen op het scherm en mijn gegluur gingen te gestaag door om een echt gevoel van voortgang te geven en het was onthutsend om te lezen dat we ruim achthonderd kilometer per uur vlogen terwijl we zo te zien nergens kwamen. Ik verdeed mijn tijd, daar hoog in de lucht tussen daar en daar, hier, maar nergens, zelfs geen grenscontrole om me het gevoel te geven dat ik diverse hieren passeerde op weg naar daar. Ik heb het in mijn hoofd dat ik het leuk vind om tijdens een reis tussen twee plaatsen te zweven, maar kennelijk is dat niet zo. De drang om ergens te komen, al is het maar bij de volgende stop van de reis, is heel sterk. Ik bedacht dat dit ook voor schrijven geldt. Ik vind het idéé leuk om halverwege een boek te zijn, om met het werk bezig te zijn, maar in werkelijkheid controleer ik doorlopend het aantal woorden en maak ik sommetjes om te zien hoe snel ik het boek klaar zal hebben. Zodra het af is, ontstaat er uiteraard een wee gevoel van verlies omdat ik uiteindelijk slechts onderweg was naar het volgende boek. Elk boek een tussenstation, een grensgebied dat je moet oversteken op weg naar het volgende boek. Waar is het eindpunt? In het vliegtuig kende ik de reisroute tenminste: van Heathrow naar Buenos Aires, van Buenos Aires naar Ushuaia in Patagonië, waarvoor we in Río Gallegos zouden moeten overstappen, en dan per schip naar het Antarctisch Schiereiland. Ik neem aan dat de boekroute ook eindigt in het onbegrensde wit. Daar kun je maar beter niet over nadenken.

Uiteindelijk kwamen we in São Paulo, hoewel dat enigszins een verrassing was aangezien dat niet op het programma had gestaan. We daalden voor een extra tussenlanding van een uur op het vliegveld, omdat we, zoals de piloot ons vertelde, nog maar weinig – hoe weinig? – brandstof hadden tengevolge van de ongekende tegenwind onderweg. Ik was dolgelukkig dat hij die ongekende tegenwind niet eerder had genoemd; ik zou niet willen zeggen dat ik een nerveuze luchtreiziger ben, eerder een bijzonder dappere luchtreiziger onder de normaalste omstandigheden. Dat wil zeggen dat zodra het transportmiddel – zo noemden ze het in de reisbeschrijving – waarin ik me bevind met schrikbarende snelheid over de startbaan stormt, ik weet dat ik ga sterven en vervuld raak van de diepe kalmte die alleen zeer hysterische mensen kunnen ervaren. Door elke vorm van uitzonderlijke omstandigheden zou mijn fatalistische draad zijn geknapt.

Desondanks leek het slordig dat de pompbedienden op Heathrow geen rekening hadden gehouden met tegenwind, ook al was die uitzonderlijk geweest, toen ze het vliegtuig hadden klaargemaakt voor een vlucht van dertien uur. Er is echter een zekere logica, zo bleek later. Een purser van British Airways, een vogelaar en reisgenoot, heeft me uitgelegd dat vliegtuigen een bepaalde kritische hoeveelheid brandstof hebben. Het is goed om voldoende te hebben om je bestemming te halen, maar te veel brandstof – in ons geval genoeg – maakt dat er door het extra gewicht extra brandstof wordt verbruikt. Meer is in de wereld van de luchtvaart dus minder, zoals in het leven ook weleens het geval is. Gelukkig waren ze op het vliegveld van São Paulo thuis en hadden ze wat brandstof over, waardoor de schade beperkt bleef tot wanhoop omdat de toch al lange vlucht nog een uur langer zou duren.

Thuis kan ik wel dertien à veertien uur zoetbrengen met lezen, kijken naar videofilms, piekeren en staren, en dat doe ik ook vaak, maar diezelfde bezigheden zijn in een vliegtuig op een of andere manier geen aangenaam tijdverdrijf. Je moet natuurlijk maar blijven zitten, wat voor sommige mensen wellicht een ondraaglijk verschil is, maar ik ben niet erg actief. Mijn werkelijke probleem was het gevoel dat de afschuwelijke Hollywoodfilm die ik ongewild bekeek als enig haalbaar alternatief voor dat verdraaide vliegtuigje, en het gezicht van Brad Pitt de laatste dingen zouden kunnen zijn die ik in dit leven zou zien. Ik kon me niets deprimerenders voorstellen. Als ze de laatste kwartetten van Beethoven hadden gedraaid of Dinah Washington die Jerome Kern zingt, en zelfportretten van Rembrandt of foto's van Robert Mitchum in de humeurige kracht van zijn leven hadden vertoond, was ik volgens mij een in alle opzichten meer tevreden reiziger geweest.

Ten slotte arriveerden we in Buenos Aires om daar de nacht door te brengen alvorens de volgende morgen vroeg alweer te vertrekken voor de vier à vijf uur durende vlucht naar Ushuaia. Het was de eerste kans om de andere zuidpoolgangers uit het Verenigd Koninkrijk te identificeren en te leren kennen. We waren maar met ons zessen en vormden een kluitje tussen de Amerikaanse meerderheid, terwijl we werden begroet en te horen kregen hoe we eetgelegenheden konden vinden. Het Britse contingent maakte, met uitzondering van mij, een vreselijk geharde indruk. Afgezien van de purser van British Airways, die een keurig donker pak met stropdas aanhad, bestond hun uitverkoren reistenue uit laarzen, plusfours en zitstokken, hoewel ik vond dat mijn wijde katoenen broek en T-shirt het wonnen in de zwoele, van benzine vergeven hitte van het hoogzomerse Buenos Aires. De Britten waren op één echtpaar na 'vogelaars' – 'vogelkijkers' was een term die boos gekwetter opriep –, een nieuwe soort enthousiastelingen voor mij, hoewel ik er de komende drie weken ongetwijfeld meer over te weten zou komen.

Tussen dutjes door ben ik 's avonds even weggewipt om te gaan eten met Mona, een hoogbejaarde 'vogelaar' uit Edinburgh, die me tot haar disgenoot voor onderweg bombardeerde, maar verder heb ik mijn uren in Buenos Aires slapend doorgebracht. Op de terugreis zouden we een volle dag en nacht in Buenos Aires hebben en ik voelde me te uitgeput om zelfs maar te overwegen de andere Britten te vergezellen, die als één man wegmarcheerden voor een bezoek aan een beroemd vogelreservaat aan de rand van de stad, terwijl het toevluchtsoord van een bed simpelweg met de lift te bereiken was. Het is een feit dat ik weliswaar vaak in Parijs ben geweest, maar de Eiffeltoren slechts uit de verte heb gezien. Ik vroeg me af hoe het is om naar ervaringen te hongeren, maar niet lang, want ik viel gelukzalig en zonder enige nieuwsgierigheid in slaap.

Iedereen vroeg Mona hoe oud ze was en ze keek elke aanmatigende Amerikaan die zo'n vraag hardop durfde te stellen strak aan met haar enigszins weggezonken ogen en zei dan op een hoge, minachtende, Edinburghse toon: 'Och, wat een vraag!' Aangezien haar kleine kromme lichaam, schaarse plukkerige haar en alledaagse, bleke, gerimpelde gezicht louter voor uitgesproken bejaard konden worden aangezien, moest ik wel aannemen dat Mona haar leeftijd niet uit ijdelheid verhulde, maar dat haar terughoudendheid voortkwam uit welopgevoedheid en het idee van een vroegere generatie dat je geen persoonlijke vragen hoort te stellen. Tijdens het eten vertelde ze me dat ik zou zien hoe ze in de droge lucht van de zuidpoolcirkel weer recht zou worden. Ze geloofde dat haar rug door het vocht zo krom was getrokken dat ze van nature naar de vloer keek. Haar eetlust was verbazingwekkend en ik keek toe hoe ze een biefstuk ter grootte van haar bord verorberde, samen met een schaal patat plus wat ik niet meer op kon. Toen de dessertkaart kwam, werd ze bescheiden. 'Ooo, nee, dat gaat niet. Ik heb al zo veel op. Een klein chocoladeijsje misschien. Ik ben dol op ijs.' De kelner en ik moedigden haar aan en enigszins giechelend omdat ze zo slecht was, werkte ze de berg ijs naar binnen alsof de film versneld werd afgedraaid. Het was niet duidelijk waar dat alles kon zijn gebleven in de kleine, gewelfde ruimte waaruit Mona bestond.

Toen ze eenmaal begon te praten, hield ze nooit meer op. Zolang de goede manieren in acht werden genomen, kletste ze alarmerend enthousiast over wat er maar in haar omging, en tijdens de twee maaltijden die we in Buenos Aires en de volgende dag in Ushuaia samen gebruikten, had ze geen tijd om me een enkele vraag over mezelf te stellen. Er gingen vooral gedachten aan vogels in haar om. Ik leerde heel wat over het observeren van vogels, maar heel weinig over vogels zelf. Ik ontdekte dat het kijken, of eigenlijk het in je kijker vangen van een vogelexemplaar in plaats van het dier zelf de voornaamste hartstocht van de broederschap der vogelaars op onze reis was. Mona, die door haar man Ted goed verzorgd was achtergelaten en zelf ook had geleerd haar aandelen scherp in de gaten te houden, was een wereldreiziger. De afgelopen paar jaar was ze op Cuba, Hispaniola en Fiji en in Bhutan geweest op zoek naar vogels voor haar lijst. Voor het volgend jaar stonden Australië, Bolivia en Suriname op het programma. 'Vroeger verzamelde ik aantallen, maar nu verzamel ik families,' zei ze mysterieus. 'Dit is voor mij geen bijzonder interessante reis. Er zijn namelijk niet veel verschillende soorten vogels op de zuidpool en ze staan niet op mijn lijst, maar er is één vogel van een speciale familie die je alleen in Patagonië aantreft. Die zoek ik.'

Mona spaarde ook vingerhoeden en had een kostbare

postzegelverzameling, waardoor ze mijn veronderstelling logenstrafte dat het verzamelen van dingen een mannelijke bezigheid is. Het was echter Ted geweest die haar in de wereld van het verzamelen had ingewijd. 'Hij heeft me zo veel geleerd.' Niet alleen het verzamelen van postzegels en vogels, maar ook duchtig wandelen en golven. Ze hadden geen kinderen gekregen in hun lange en klaarblijkelijk tevreden huwelijk, maar Ted was een natuurliefhebber geweest. 'Wat zou er met me zijn gebeurd als ik me er niet voor was gaan interesseren? Dan was ik alleen achtergebleven.' En toen ze ten slotte alleen was achtergebleven, had ze als een goede investering al die interesses gehad om haar bezig te houden. Hun huwelijk had geen andere keerzijde gekend dan Teds weigering de realiteit van de dood onder ogen te zien, waardoor zijn lange, laatste ziekte des te pijnlijker voor hen allebei was geweest. 'Er werd nooit over gepraat. Hij kon het niet verdragen om erover te praten, zelfs niet als hij zich goed voelde. Maar ik denk dat hij op het laatst toch wist hoe ziek hij was. Op een dag vond ik op het dressoir een brief van de verzekeringsmaatschappij met de details van zijn polis. Ted wist dat ik daar ging stoffen.' Dat was zijn manier om afscheid te nemen; verder had hij niet kunnen gaan.

De volgende dag leerde ik tijdens de vlucht naar Ushuaia meer medereizigers kennen. Grote Jim zat naast me in het vliegtuig, zo'n enorme man dat hij over zijn stoel heen puilde en de helft van mijn stoel in beslag nam. Toen de steward aankwam met een verlengstuk voor zijn veiligheidsriem, was zijn dikte niet meer te negeren. Maar naar alle waarschijnlijkheid zou Grote Jim de lucht altijd zuiveren door vrijwel zodra hij zich had voorgesteld te laten merken dat hij zich van zijn omvang bewust was. Het was niet helemaal:

'Hallo, ik ben Jim en ik ben heel dik,' maar het scheelde niet veel. 'Heb je het warm genoeg?' vroeg hij me, wijzend naar de buisjes boven ons hoofd waar lucht uit kwam. 'Ik heb het altijd warm genoeg doordat ik mijn eigen isolatie om me heen heb.' Ik glimlachte, maar toen we wat te eten kregen en we de tafeltjes moesten laten zakken, rustte dat van Grote Jim onder zo'n steile hoek op het bergplateau van zijn buik dat zijn blad met eten gevaarlijk ver naar de rugleuning van de stoel voor hem gleed. Hij kon slechts eten door het tafeltje weer op te klappen en het blad in evenwicht te houden op zijn maag, die slechts een paar centimeter onder zijn onderste kin begon. Zijn schaamte en gêne waren voelbaar en ik zat naast hem te proberen of ik groter kon lijken.

Grote Jim was huisarts in een woestijnstadje in de buurt van Palm Springs, waardoor hij kennelijk eerder beroepsmatig dan uit persoonlijke wanhoop een boek las dat *Hoge bloeddruk de baas* heette. Hij las niet lang. Ik kwam te weten dat hij thuis zes katten had en een garage vol videobanden van de Hollywoodfilms die hij verzamelde. 'Ik ben nooit klein geweest,' zei hij zonder enige andere aanleiding dan dat hij daar doorlopend aan dacht, 'maar in 1989 heb ik schildklierkanker gekregen en is mijn vrouw bij een auto-ongeluk om het leven gekomen. Niet echt een goed jaar. Na de behandeling ben ik gewoon opgezwollen en sindsdien heb ik dit formaat.' In zijn spreekkamer had hij een laag krukje staan, waar hij op zat als hij kinderen behandelde. 'Ik ben zo groot dat ik hen bang maak als ik me niet op hun niveau bevind.' Hij was nu een vaste soloreiziger. Hij was de laatste tijd in Ethiopië, Zimbabwe, Egypte en Zuid-Afrika geweest, terwijl een vrouw uit het stadje voor zijn katten zorgde. Alleen het zitten in een vliegtuigstoel vereiste al speciale aandacht en het leek ronduit gevaarlijk om door het smalle gangpad het vliegtuig te verlaten, niet in de laatste plaats voor de rij achter hem, die er nooit uit zou komen als hij klem kwam te zitten in de nauwe deuropening. Ik kon me geen voorstelling maken van de problemen die zijn exotische reizen door de derde wereld moesten hebben opgeleverd.

In Río Gallegos moesten we overstappen in een kleiner vliegtuig voor de tocht van drie kwartier over Straat Magallanes naar de hoofdstad van Vuurland: Ushuaia. Ik maakte me zorgen om Grote Jim. Een kléiner vliegtuig. Terwijl we op het vliegveld stonden te wachten tot we aan boord konden gaan, leerde ik Minder Grote Jim kennen, louter een bierbuik en normaal overgewicht, een grijzende Amerikaan met een enthousiast gezicht, die iets van de verlegen maar niet zo simpele Ernest Borgnine had. Hij vertelde me dat hij uit Saratoga Springs in het noorden van de staat New York kwam. Ik was een paar jaar geleden met kerst in die buurt geweest, vertelde ik hem, in Ballston Spa, de geboorteplaats van de man met wie ik toentertijd had samengewoond; daar had hij vast wel van gehoord. Uiteraard was hij in Ballston Spa geboren en opgegroeid, en had hij op de plaatselijke school Engels gehad van de vader van mijn ex-vriend. Dat ergerde me een beetje, aangezien mijn antarctische droom geen zinloze toevalligheden had bevat die iemand het gevoel zouden geven dat we wat gemeen hadden. Het was nu al niet solitair genoeg. Maar daar kon de waggelende, eenzame Minder Grote Jim niets aan doen.

Terwijl al die Jims hun entree maakten, vlogen we over of wachtten we in het meest godverlaten land dat God ooit heeft verlaten. Neerkijkend over de verbazende buik van Grote Jim was er urenlang voor zover het oog reikte niets anders te zien dan grijsgroen vlak land met struiken. Ik had foto's van de maan gezien die meer persoonlijkheid hadden. We vlogen enkele uren lang over dit uiterst saaie land. Dit was nergens zoals ik nog nooit had ervaren. Niet wit wellicht, maar onmetelijk en leeg. Zelfs de zee verschaft niet zo'n eentonige rust. Toen landden we plotseling op het vliegveld van Río Gallegos midden in dat niets, een paar gebouwen omringd door de afwezigheid van alles. Río Gallegos is eigenlijk beroemd. Butch Cassidy en de Sundance Kid hebben er een bank overvallen nadat ze voor hun hardnekkige achtervolgers naar het zuiden waren gevlucht. Ondenkbaar dat hier een bank zou kunnen zijn, maar nu is er een vliegveld en een espressoapparaat en vertrekken er vliegtuigen om mensen honderden mijlen deze of gene kant op te brengen naar de dichtstbijzijnde andere steden midden in het niets.

Afgezien van wat miezerige heuvels die de strijd zo te zien hebben gestaakt – ongetwijfeld de heuvels waarin Butch en Sundance zich met hun buit hebben schuilgehouden (waaraan hebben ze dat geld uitgegeven?) – is er in Río Gallegos wind. Een speciale Patagonische eind-van-de-wereldwind, die we leerden kennen toen we het vliegtuig verlieten en naar het gebouw op het vliegveld liepen. Hij floot en sloeg als een klap op je rug tegen je aan. Een wind waarmee je zou kunnen dansen als de muziek die hij maakte wat welluidender was geweest. Deze wind is geen periodiek verschijnsel. Hij houdt nooit op. Hij is kenmerkend voor Río Gallegos. Hij waait en stormt, fluit en huilt over de eindeloze platte vlakte van Patagonië, en als je in de weg staat, houd je hem net genoeg op om te voelen hoe ver hij is geweest en hoe ver hij nog moet gaan en hoe weinig het uitmaakt dat jij of een handjevol gebouwen op zijn pad staat. Een fladderende vlindervleugel had daar geen schijn van kans om zich te onderscheiden in het aardse weersysteem. De Patagonische wind heeft korte metten gemaakt met de turbulentie.

'Tjonge, wat een wind,' zei Minder Grote Jim, die zijn baseballpet stevig vasthield terwijl we ons moeizaam naar het vliegtuig begaven dat ons naar Ushuaia zou brengen. En hij had gelijk.

Na een vroeg diner, bijna een Engelse thee, met Mona zat ik in mijn kamer in het in de heuvels boven de stad Ushuaia gelegen Hotel Glacier, waar ik mijn voeten op de venster-bank van het open raam had gelegd en naar de gletsjer keek die een halve mijl verderop lag en waaraan het hotel zijn naam dankte. Ik geloof niet dat ik ooit eerder een gletsjer had gezien en ik zag niet veel van dit exemplaar, slechts een glimmend, geribbeld stuk wit op een lager deel van de berg boven ons. Maar goed, hij was er en ik keek ernaar en dat was ongeveer zoveel opwinding als ik op dat moment kon hebben. Het hotel was vertrouwd genoeg, een kruising tus-sen een Zwitsers chalet en een Holiday Inn, van hout en met zo'n plastic standaardbadkamer die ze er waarschijnlijk in zijn geheel in gooien, met bad, afvoer, nepmarmeren om-bouw om de wastafel, gratis zeep en al. Het was er vreselijk warm, vandaar dat ik het raam open had. De lucht die bin-nenkwam, was louter verfrissend, hoewel ik me op 56° zui-derbreedte bevond, zuidelijker dan ik ooit was geweest, maar nog niet zo zuidelijk als ik zou gaan.

Ik zat te staren, slap en uitgeput van de reis, en voelde me niet helemaal toerekeningsvatbaar, schaamde me diep voor mijn gebrek aan innerlijke kracht, vooral doordat ik Mona ondanks haar hoge leeftijd na het eten zo fris als een hoentje had achtergelaten. Staren naar de gletsjer was stap twee in mijn herstelprogramma voor mijn geestelijke gezondheid. Eerst een lang bad, twee aspirines, een slaappil en het kleine flesje whisky dat ik van Mona had gekregen omdat ze liever sherry had, maar van de stewardess, die dat niet had gehad, een flesje Bells had gekregen; vervolgens in mijn onderbroek en T-shirt en met mijn voeten op de vensterbank naar de gletsjer staren, die absoluut geen eisen stelde. Ten slotte stap drie, naar bed gaan en slapend het verwarrende gevoel kwijtraken dat ik nog steeds onderweg was, hoewel ik voor mijn gevoel eeuwen geleden van huis was gegaan. Ik wilde op mijn bestemming aankomen, wat voor mij in dat stadium het schip was, en vooral mijn hut op dat schip. Ik wilde daar zijn zoals een mol in zijn donkere hol onder de grond wil zijn. Dat was het enige dat ik wilde. Mijn hut was mijn enige doel: de zuidpool, wat ik daar eventueel van te zien zou krijgen, deed er op dat moment niet toe, maar ik zou nog het grootste deel van de volgende dag in Ushuaia moeten zien door te komen, aangezien we pas om vijf uur 's middags aan boord zouden gaan. Het schip was de Akademik Vavilov. Zoals je de naam van een geliefde kunt uitspreken, prevelde ik deze naam tegen de gletsjer, die hem zonder haast of verbazing in zich opnam. Daar zijn gletsjers heel handig voor, ontdekte ik.

De volgende morgen was ik voldoende hersteld om een vroege wandeling naar de gletsjer te kunnen maken alvorens in de bus te stappen voor een rondrit door Ushuaia en het Nationale Park. Ik ben niet echt tot de gletsjer gekomen, doordat ik werd opgehouden door een bos, een donkergroen oord, niet met de vochtige, rottende ondergrond van een Engels bos, maar fris en knisperend door de droge lucht die tegen het vriespunt aan zat. Ik was nog niet erg ver gekomen toen ik een dood harig ding op mijn pad zag liggen, dat vermoedelijk was opgegeten door aan ander, groter harig ding. Aangezien er in Patagonië geen andere zoogdieren voorkomen dan konijnen, guanaco's en vossen, had het eenvoudig moeten zijn om te bepalen wat het dode harige ding was, maar het zag er niet uit als iets wat ooit een konijn was geweest, en als het een vos was geweest, moest het door een soortgenoot zijn opgegeten, en guanaco's zijn toch zeker vegetarisch? Delen ervan waren tot op het bot kaalgevreten; een naar boven gebogen poot bestond nog slechts uit een droog wit scheen- en kuitbeen, maar het dier dat er naar believen mee was omgesprongen, moest een kleine eetlust hebben gehad, want de rest was nog vrijwel grotendeels intact en zag er heel knuffelbaar uit. Dit land in het verre zuiden bestond kennelijk niet louter uit monumentale besneeuwde bergen, die een hoogte van 1525 meter bereiken voor ze afdalen naar de sierlijk gebogen lijn van het Beaglekanaal, maar herbergde ook leven dat net als overal leefde en stierf. Dat verbaasde me en toen verbaasde het me dat ik me dat anders had voorgesteld. Ik had slechts naar een landschap verlangd en nu was ik daar met metgezellen, stond ik op het punt een busrit te maken door Ushuaia en omstreken, de stad aan het eind van de wereld, en werd ik zelfs geconfronteerd met het bewijs van de sterfelijkheid. Ik was niet op zoek naar het drama van leven en sterven, maar naar wat er al dan niet aan voorafgaat of nakomt. Onveranderlijkheid. Leegte. Vergetelheid. Terwijl ik daar in het bos onder de gletsjer naar het dode harige ding stond te kijken, herinnerde ik me dat ik op zoek was naar onsterfelijkheid.

Ushuaia had op het eerste gezicht niets onsterfelijks. Het is een grensstad, een goudzoekersstad waar het goud niet in de heuvels ligt, maar in de recente belastingvrije status die het van de Argentijnse regering heeft gekregen. Het opmerkelijke eraan is dat het de hoofdstad is van Vuurland, een land dat tot vrijwel ieders verbeelding spreekt, alleen al door de klank van de woorden, om nog maar te zwijgen van het gevoel dat het volstrekt ontoegankelijk is. Het is de plek waar Robert FitzRoy, de kapitein van de Beagle, en zijn disgenoot Charles Darwin kwamen voor ze doorreisden naar de Galápagoseilanden en de plek waar de bewoners Darwin ervan overtuigden dat ze vroegere, primitievere vormen waren van de volmaakte mens die hij en zijn landgenoten waren geworden. 'Ik had nooit kunnen geloven dat er zo'n groot verschil was tussen wilde en beschaafde mensen. Het verschil is groter dan dat tussen wilde en tamme dieren, want de mens bezit een groter vermogen tot ontwikkeling.' FitzRoy stelde God op de proef door drie jonge Vuurlanders mee naar huis te nemen, naar de zondagsschool te sturen, als heren en dames te kleden en hun te leren hoe ze zich aan tafel hoorden te gedragen. Tegenwoordig herdenken sommige souvenirwinkels in de hoofdstraat de beroemdste van deze studenten van de beschaving en noemen zich Jemmy Button's. Zelfs voor een Victoriaans experiment was dit geen gelukkige onderneming, voor FitzRoy noch voor de Vuurlanders.

Het verging de Vuurlanders die thuis waren gebleven even slecht onder de Argentijnse regering, doordat Vuurland het strijdtoneel werd voor territoriale geschillen tussen Chili en Argentinië. In Darwins tijd waren er tienduizend indianen, in 1960 nog maar 360 en als je er nu rondloopt, is er in slechts een enkel gezicht een uiterst vage zweem van te bespeuren. Chili en Argentinië eisten het land allebei op als hun rechtmatige bezit en trokken ten strijde om dat te bewijzen tot een paus een uitspraak deed en de huidige grens vaststelde, of iets wat er veel op leek. Dat alles had heel veel met olie te maken en het feit dat over een jaar of twintig het

Antarcticaverdrag de landen met een steunpunt in dat gebied zal toestaan de delfstoffen te exploiteren. De vinger van Vuurland wees met zijn nagel van Ushuaia vastberaden in de richting van Antarctica en diens onberoerde schat aan minerale rijkdom. Nog niet zo lang geleden hebben de Chilenen Porto Williams gebouwd, net ver genoeg ten zuiden van Ushuaia, aan de overkant van het Beaglekanaal, om de Argentijnen Ushuaia's toch al dubieuze status van stadje te laten opwaarderen tot die van heuse grote stad. Nu hebben ze de stad aan het eind van de wereld en om te zorgen dat hun aanspraak daarop volkomen gegrond is, hebben ze een golfbaan aangelegd. 'Ik heb er nog nooit iemand zien golfen,' zei onze droge jonge gids Stefan, die in Ushuaia was geboren. 'Dat komt doordat niemand in Ushuaia kan golfen, maar nu hebben we zowel de golfbaan aan het eind van de wereld als de meest zuidelijke stad die er is.'

De belastingvrije status verzekerde Ushuaia's toekomst als snel groeiende stad doordat elektronicaproducenten naar het zuiden ijlden om er hun voordeel mee te doen, en losse werkkrachten erheen trokken vanwege de omhoogvliegende lonen. 'Er wordt gedacht dat je robuust moet zijn om hier te kunnen leven,' zei Stefan terwijl hij loom zijn schouders ophaalde. 'Maar we leiden hier vandaag de dag een gezapig bestaan. Soms is er geen water of elektriciteit, maar dat gebeurt overal. Nou ja, in Argentinië dan. We kunnen HBO, MTV en CNN ontvangen. Net als in de rest van de wereld.' Stefan is een Vuurlander met een eigen mening, hoewel het me speet dat hij de Britten bij het verlaten van de bus zijn verontschuldigingen aanbood voor de Falklandoorlog, maar niet wachtte tot wij op onze beurt ook onze verontschuldigingen aanboden.

Als onderdeel van onze rondrit bezochten we het Nationale

Park, dat doorliep tot aan het Beaglekanaal. 'We hebben hier iets wat het rode getij heet,' waarschuwde Stefan. 'Eet geen enkele mossel, na vijftien minuten is het spel uit.' Het Nationale Park bestond grotendeels uit enorme oude beverdammen, waarvan de bouwers door enkele vrolijke missionarissen waren meegenomen, samen met de konijnen en de grijze vos. Doordat ze geen van alle een natuurlijke vijand hadden, tierden ze welig, wat verwoestende gevolgen had. De beverdammen brachten bijzonder veel schade toe aan het landschap. De meeste bevers zijn afgeschoten. Er waren geen nieuwe beverdammen te zien, maar de oude, verlaten dammen waren gigantische bouwwerken van verbleekte boomstammen die kriskras over rivieren en beken lagen, prachtig en spookachtig, speelterreinen die hun kinderen waren kwijtgeraakt. Stefan wees plichtsgetrouw op enkele vogelsoorten die de werkelijke fauna van de archipel vormden. Dikbekfuten, magelhaenganzen, falklandganzen, kanoetstrandlopers. Mooie namen, maar voor mij een stel eenden. Ondanks haar vogelmoeheid door de alomtegenwoordigheid van de soorten uit dit gebied wipte Mona op de stoel naast me op en neer om haar verrekijker deze en gene kant op te richten terwijl de gevederde vliegers langsflitsten. Ik keek daarentegen op mijn horloge om te zien hoe lang het nog duurde voor ik in mijn hut zou zijn toen er een echt interessante vogel langswiekte, dus miste ik die.

Het eind van de weg kon ik echter niet missen. Dat was met name het eind van Route 3, die in Alaska begint en over ruim 27 000 kilometer door Noord- en Zuid-Amerika loopt tot hij bij een houten ponton komt. Daar slaagde ik erin ongeveer een halfuur met mijn benen boven het Beaglekanaal te bungelen. Daar ben ik dan, dacht ik, aan het eind van de wereld. Bij het Beaglekanaal. Werkelijk, het Beaglekanaal.

Ik wist niet wat ik daarmee aan moest, behalve dan dat ik de mosselen niet mocht eten, maar het was een halfuurtje van rust en vrede, waar ik dankbaar voor was. De toegang tot het Beaglekanaal was een groot spiegelglad meer van flauw kabbelend water met een staalachtige, blauwgrijze kleur. De roerloosheid werd slechts verbroken door een enkele vogel. Helderwitte wolken, vanachter beschenen door de zon, werden omringd door zware regenwolken die het licht verduisterden maar hun lading neerslag vasthielden. Terwijl ik op de ponton zat, zag ik in de verte een nauwe doorvaart tussen zwarte rotsen, en nog verder weg lieten besneeuwde bergtoppen zien waar we die nacht naar toe zouden gaan. De ponton aan het eind van de wereld was niet het eind van de wereld. De wereld veranderde vanaf dat punt in vloeistof en stroomde, stormde soms, verder naar het zuiden en ik zou die kant op gaan. Dat was niet niks.

Het halfuurtje privacy werkte verslavend, en tijdens de lunch in de kantine van het Nationale Park aan het eind van de wereld vond ik een tafeltje voor mezelf en begroef ik mijn hoofd in Bruce Chatwins *In Patagonië* om mijn pasgevonden vrienden te laten weten dat ik geen gezelschap nodig had. Toen heb ik de kat aan het eind van de wereld ontmoet, een langharige, kordate, vurig rode Vuurlander, dik geworden door de eenden en konijnen die voor het grijpen waren. Ze tikte tegen mijn knie, duwde het boek op mijn schoot opzij en nadat ze een minuut of twee nodig had gehad om de beste hoek te vinden, strekte ze zich behaaglijk op mijn dijen uit, spinnend als een koffiemolen. Ze scheen er geen bezwaar tegen te hebben om als boekensteun te worden gebruikt, dus zaten de kat en ik tevreden een uurtje bij elkaar, mijn tweede die dag, ongetwijfeld haar zoveelste, vol waardering voor elkaars vermogen om stil te zijn. Daar had ik genoegen mee genomen. Ik had het prima gevonden om een paar weken met de Vuurlandse kat te zitten, terwijl ik las, koffie dronk, rookte en naar het Beaglekanaal keek. Als de beste momenten thuis, maar dan met een beter uitzicht.

De lunch was echter voorbij en er werd ons gevraagd weer in de bus te stappen om de stad Ushuaia te leren kennen. Ik excuseerde me tegenover de kat, die zich uitrekte en haar schouders ophaalde, waarna ze wegdwaalde, op zoek naar iets anders wat even onopwindend was, en ik herinnerde mezelf eraan dat ik geacht werd een avontuur te beleven en ging terug naar de bus.

Ushuaia is een collectieve daad van de verbeelding die niet is gehinderd door beperkingen van planologische aard. Ooit, tussen 1902 en 1947, was Ushuaia een strafkolonie, gewoon een plek waar Argentinië zijn gevangenen heen stuurde. De merkwaardig hoge boomgrens getuigt nog van de dwangarbeid die is besteed aan het kappen van bomen om hun onderkomens te maken en, toen ze daar eenmaal mee klaar waren, gewoon om bezig te blijven. Toen Ushuaia politiek nut kreeg, werd de gevangenis gesloten en begonnen mensen het land te koloniseren voor de schapenteelt en ter meerdere glorie van Argentinië. Nu is er een hoofdstraat en heeft die zelfs een naam, San Martín, maar dat komt gewoon doordat alle Argentijnse hoofdstraten San Martín heten. Aan weerszijden bevinden zich belastingvrije elektronicazaken en winkels voor toeristen vol prullaria van de Stad aan het Eind van de Wereld, samen met een paar restaurants en een enkele bakkerij. De hoofdstraat is tot op zekere hoogte verhard, maar slechts hier en daar, want de bestrating kan zonder enige waarschuwing of reden overgaan in steengruis. De etalages zijn donker en troosteloos, zijn volgepropt met goederen en laten slechts zien wat er is; ze nodigen niet uit om genoeglijk wat rond te neuzen of op verkenning uit te gaan. De winkelstraat is gewoon één lang pakhuis, een praktisch verkooppunt dat gewijd is aan het verplaatsen van dozen met van alles en nog wat. Bij de laatste telling in 1991 waren er 29 464 inwoners. Stefan, onze gids, denkt dat dit aantal heel goed kan zijn verdubbeld.

De vreugde van Ushuaia ligt naast de hoofdstraat, in de steile heuvels achter de stad, waar elke centimeter grond naast de onverharde wegen is volgepakt met woningen die de harten van de bedenkers van Oz tot jubelen zouden hebben gebracht. Als je mensen niet vertelt wat voor soort huizen ze moeten bouwen of waar ze die moeten neerzetten, trekken ze klaarblijkelijk opmerkelijke en belachelijke bouwwerken op: houten driehoeken, rechthoeken met de daken van een speelgoedstad en hoog oprijzende, overbodige torens, en dan schilderen ze dat alles rommelig in de basiskleuren rood, blauw en geel uit een kinderverfdoos. Er zijn krotten en vreemde architectonische agglomeraties. Huizen als een uit verscheidene lagen bestaande punt taart. Houten huizen, betonnen huizen, zelfs plastic huizen en tenten, allemaal naast elkaar. Je ziet Ushuaia in al zijn overvolle, schitterende, absurde en smakeloze glorie en je schiet in de lach. Misschien omdat het je doet denken aan de huizen die je als kind hebt gebouwd met de fel geverfde bouwblokken, driehoekige daken, pilaren, simpele ramen en torenspitsen die je keurig verpakt in een doos had gekregen, al was dat niet lang zo gebleven. Huizen zijn elkaar tot op enkele centimeters genaderd; sommige zijn ruw opgetrokken, bestaan uit een houten skelet, met daaroverheen een netwerk van balken met een doorsnee van vijf bij tien en zijn bedekt met krantenpapier en plastic. Andere zijn zo klein dat ze op een uit zijn krachten gegroeid hondenhok lijken.

Veel huizen zijn op glijplanken gebouwd: er zijn nog geen bouwvoorschriften, maar als de stedelijke verordeningen komen, zijn deze pioniers er klaar voor en zullen ze hun huizen domweg ergens anders naar toe slepen, waar de planologen er geen last van hebben. Ondertussen worden overal waar je kijkt huizen gebouwd en is de lucht net zo vergeven van het geluid van getimmer, gezaag en het storten van beton, als van het stof en de uitlaatgassen van de roestige auto's die rammelend over de stenige wegen rijden.

Aan één kant van de stad ligt de haven, waar het druk en levendig is door schepen die komen van of op weg zijn naar de Zuid-Atlantische Oceaan of de zuidpool en die personeel voor of van de basiskampen of toeristen aan boord hebben, en door vissersboten die platvis vangen, een bloeiende nieuwe bedrijfstak. Er zijn ook onderzoeksschepen, die eveneens met een sleepnet in de koude zee vissen op zoek naar ijsvissen en die de hoeveelheid krill meten. En er zijn bevoorradingsschepen. De roestbakken van de vissers liggen naast de witte cruiseschepen en in de haven is het even druk als in de straten met kopers en verkopers, komende en gaande schepen. Aan de andere kant van dit door samengedromde mensen bewoonde gebied liggen de in het groen gehulde heuvels en daarachter de witte toppen van de La Martialbergen, waarvan de spitse pieken in de wolken eindigen. Daartussenin ligt de chaos aan het eind van de wereld. Gewoon een beetje chaos tussen de zee en de bergen, maar genoeg om de elementen te laten weten dat de beschaving is gekomen. Overal, in de straten, in de haven, bij de huizen, in en voor de winkels gaan mensen in parka's haastig ergens naar toe. Ze hebben allemaal iets te doen, dingen te verkopen, toeristen op andere gedachten te brengen, overeenkomsten te sluiten. Dit is Ushuaia, de zuidelijkste stad ter wereld.

Ushuaia, uit het Duits, dankzij de missionarissen, betekent 'Haven die op de zonsondergang uitkijkt'. Dit is de stad van de sjacheraars, die even bedrijvig en bruisend aanvoelt als New York of Las Vegas. Het is misschien wel de opwindendste plaats ter wereld. En is het nu alsjeblieft eindelijk tijd om naar het schip te gaan?

De afstand tussen Ushuaia en hut 532 behoorde tot de eindeloze afstanden van sciencefictionschrijvers die hun helden melkwegen laten doorkruisen met behulp van scheuren in het ruimte-tijdcontinuüm, of tot die andere, Victoriaanse afstand van Lewis Carroll, als Alice door de spiegel terugklimt in haar woonkamer. Voor de rest van mijn medereizigers betekende het betreden van hun hut misschien het vertrek, maar voor mij was dat het moment van aankomst, de precieze definitie van het verschil tussen niet op de juiste plaats zijn en aankomen.

Ik was nog nooit op een echt cruiseschip geweest, dus had ik me zorgen gemaakt. Zou ik worden gehinderd door iemands poging de hut aan te kleden tot een soort drijvende hotelkamer? Ik vreesde dat het tapijt, de gordijnen en het beddengoed niet effen zouden zijn, gesierd zouden zijn met die vage vormloze bloemen in saaie kleuren die de verdienste zouden hebben niemand te ergeren en tegelijkertijd een vage echo zouden oproepen van de comforts van het landhuis: het noch te felle noch te alledaagse effect van moderne standaardhotels. Toen ik de deur opendeed, wapende ik me tegen een teleurstelling, maar zag in plaats daarvan een droomwens van zo'n drie bij tweeënhalve meter die in vervulling was gegaan.

De Akademik Vavilov bleek oorspronkelijk niet als cruiseschip te zijn gebouwd en was in haar nieuwe rol niet omgebouwd om te doen of ze dat wel was. Hoewel de reisorganisator Canadees was, had de vloot van zes schepen een Russische eigenaar. De Vavilov en haar zusterschepen waren oceanografische onderzoeksschepen, die tegen ijs bestand waren en door de noordelijke poolzeeën hadden gevaren om die te loden, weerpatronen te analyseren en de inhoud van de zeeën te onderzoeken. Maar sinds het uiteenvallen van de Sovjet-Unie was er geen geld meer voor wetenschap en om de schepen en hun bemanningen in de vaart te houden, waren ze als toeristenschepen met een maximum van zeventig betalende passagiers vercharterd aan de Canadese maatschappij. Dientengevolge waren de hutten afgestemd op de basisbehoeften en efficiëntie van mensen die werk te doen hebben, niet op de veronderstelde smaak van vakantiegangers.

Ik geloof niet dat ik ooit eerder in een kamer was geweest die niets bevatte dat ik niet wilde hebben en alles waarnaar ik verlangde. Zelfs mijn eigen kamers missen die zuiverheid. Allerlei voorwerpen komen in de flat terecht, dingen die ik ooit heb willen hebben, maar nu niet meer, zonder dat ik er ooit toe ben gekomen ze weg te gooien, souvenirs waar niet meer naar wordt omgekeken en die nu stof verzamelen, Chloe's spullen (meestal laarzen) en mijn spullen die zijn blijven liggen waar ze zijn neergegooid en bij het interieur van een kamer zijn gaan horen. Zelfs mijn heilige slaapkamer heeft verbijsterende hoeken vol opgehoopte schoenen, die voor het merendeel nooit meer zullen worden gedragen, maar die op een of andere manier mijn verlangen naar leegte dwarsbomen. En mijn kleine, wit betegelde badkamer, die als een tempel van het minimalisme was bedoeld, pronkt nu met een vergulde engel, een kerstcadeau van mijn dochter, die me waakzaam of wellicht ironisch vanuit een hoek van de spiegel in de gaten houdt, om nog maar te zwijgen van de halfvolle flessen en tubes met schoonheidsmiddelen, shampoo en wonderzalfjes die, hoewel ze de rust in de badkamer verstoren, toch worden bewaard, op geen vastere gronden dan dat ik ze ooit op een dag, hoewel ik weet dat ik dat niet zal doen, misschien zal opmaken. Ik wil het geen chaos noemen, want de manier waarop ik mijn omgeving onder controle houd, vervult mijn minder systematische vrienden met wanhoop, maar het is niet helemaal zoals het zou moeten zijn.

Hut 532 was precies zoals hij moest zijn en toen ik dat zag, stokte mijn adem in mijn keel, maar vervolgens lachte ik omdat het zo onwaarschijnlijk was dat ik me daar bevond, ver bij alles vandaan en op dat moment volkomen tevreden met mijn omgeving. Effen witte muren, een bureau met een boekenplank erboven, kastjes langs de ene muur met een klein ingebouwd ijskastje, een smalle hangkast in de ruimte tussen het voeteneind van het bed en de badkamer, brede planken boven het bed en een piepklein badkamertje, waarin je je nauwelijks kon wenden of keren en dat door een afvoer in de vloer met een ruk aan het effen plastic gordijn in een douchecel was te veranderen. Het bed, een houten kooi, was langs de muur tegenover het bureau gebouwd en was voorzien van beige gordijnen om het van de rest van de hut af te sluiten. Het beddengoed was tot mijn vreugde helemaal wit. Lakens, slopen en het dunne, gewatteerde dekbed, keurig netjes opgevouwen. Wit, helemaal wit. Tegenover de deur was een groot rechthoekig raam – een poort, als je erop staat – dat ver openkon. Verder niets. Het was een monnikscel. Niet de middeleeuwse versie, die naar ik wist lichamelijk te streng zou zijn voor mijn bevrediging zoekend soma, maar een moderne versie, voor een hedendaagse monnik, die verwend is door centrale verwarming en de genoegens van flinke veren kussens, iemand met een slap geloof dat de werking van de geest wordt versterkt door het comfort van het lichaam.

Ik zette het raam open en richtte me in. Stak de stekker van mijn computer in het stopcontact, legde papieren in de bureaula, zette boeken op de plank en pakte mijn kleren uit, en toen die waren opgeborgen in de smalle hangkast en de vele legkasten was de kamer bijna even leeg als ik hem had aangetroffen, met uitzondering van de bemoedigend zinvolle laptop en de boeken, die de hut tot mijn werkruimte maakten en het bruisende gevoel van welzijn rechtvaardigden dat ik ervoer terwijl ik midden in de kamer stond waarin ik de komende twee weken zou wonen.

Bij die gedachte voelde ik ogenblikkelijk een steek in mijn hart. Waarom maar twee weken? Ik onderdrukte de flits waarin ik mezelf over twee weken, alweer een ex-passagier, van boord zag gaan. De techniek om de tijd om zeep te helpen, die ik zo handig vind wanneer ik bezorgd lig te wachten tot ik 's nachts de sleutel van mijn dochter in het slot hoor, of wanneer ik de voltooiing van een manuscript waar ik niet mee opschiet sterk wil bespoedigen, keert zich tegen me om me te bijten, is altijd klaar om lukraak in actie te komen en de beste momenten op te slokken, waardoor het op voorhand al lijkt alsof de leuke dingen net zo goed niet zouden kunnen gebeuren, omdat ze voor mijn geestesoog al gebeurd zijn, al voorbij zijn. Het gevoel van vrede met mijn volmaakte omgeving werd vervangen door een soort paniek, het gevoel dat er te weinig tijd was, dus probeerde ik die andere, minder zekere techniek om per seconde te leven, om elke seconde vast te houden en bewust te ervaren, waardoor de tijd taai wordt van zelfbewustzijn. Dat werkt heel goed als je alleen bent en niet wordt gestoord, maar het is moeilijk om er greep op te houden als er enige drukte heerst. We zouden over nog geen uur vertrekken en zoals ons door de luidspreker was verteld, zou er kort daarna een bijeenkomst of, overeenkomstig de energieke toon van de advertentie, een briefing zijn. Ik had het schip kunnen gaan verkennen, maar besloot de tijd een poosje vast te houden en ging op mijn kooi liggen. Ik overwoog of ik de bedgordijnen zou dichtdoen, maar dat leek voorbarig. Bovendien had ik nog steeds het gevoel dat zuster Winniki in de buurt rondhing en me smalend zou uitlachen.

De Spaanse geluiden van de haven van Ushuaia kwamen door het open raam binnendrijven en er klonken Russische uitbarstingen uit de luidspreker in mijn kamer wanneer de kapitein de bemanning gelastte de grote bras te grijpen, of wat een kapitein zijn bemanning maar gelast te doen om zich klaar te maken voor vertrek. De herrie van de wereld die in de verte gewoon doorging, versterkte mijn inactiviteit terwijl ik keek naar de lege ruimte binnen de vier muren en de praktische, ingebouwde noodzakelijkheden. Ik keek heel zorgvuldig naar niets in het bijzonder en nam welbewust nota van het niets waar ik naar keek. In dit tempo zou ik mijn hut eeuwen bezitten.

Luiheid is altijd mijn meest wezenlijke eigenschap geweest. Wezenlijk in de zin dat het de enige eigenschap is waarvan ik overtuigd ben dat ik haar heb en waar anderen me aan zullen herkennen en waar ze me door zullen herinneren, en ook in de zin dat ik het meest mezelf ben als ik eraan toegeef. Ik kan me geen tijd heugen dat het idee om een wandeling te gaan maken geen kwelling voor me was, geen voorstel dat mijn onveranderlijke wens om te blijven waar ik was in gevaar bracht. Ik zie voor me hoe ik als kind en volwassene opgekruld in een leunstoel zit te lezen wanneer me wordt gezegd (als kind) of gevraagd (als volwassene) naar buiten te gaan om iets te doen. Ik kan niet bedenken waarom iemand die onmiskenbaar tevreden in een leunstoel zit, in anderen het verlangen oproept onmiddellijk in beweging te komen. Als kind ging ik de flat uit wanneer de kreten hardnekkig werden en vond ik een veilig toevluchtsoord op de achtertrap of aan het andere eind van de gang, naast de bronzen, opengewerkte beschermkap om de radiator, waar ik mijn inactiviteit hervatte. Als volwassene deed ik, vooral wanneer ik bij mensen op bezoek was, met veel verdriet mijn best, legde mijn boek weg, trok truien, een jas en laarzen aan – het is altijd koud als je bij vrienden op bezoek bent – en maakte de voorgestelde wandeling, waarbij iedere stap me een vreselijke verspilling van goede zittijd leek. Tegenwoordig stelt mijn volwassenheid me in staat het voorstel vastberaden te beantwoorden met: 'Nee, dank je.' Deze wandelingen hebben tot doel koud en klam te worden en af te stevenen op het genoegen van een gezellige pub of een leuk café alvorens weer de kou en nattigheid in te trekken om terug te keren naar het warme, plezierige toevluchtsoord waar je vandaan bent gekomen. Ik begrijp dat mensen graag verschillen aanbrengen, dat ze slechts van het een kunnen genieten door het met het ander af te wisselen, maar dat heb ik nooit noodzakelijk gevonden. Ik zie er het nut niet van in om iets te onderbreken wat heel goed gaat.

Dan is er nog het landschap, de schoonheid ervan, de frisse lucht, het gevoel om deel van de natuur te zijn – of zelfs van de stad. Ik houd van een mooi landschap, maar ik vind het prima om het door een raam te bekijken terwijl ik opgekruld in mijn leunstoel zit. Ik ben een groot voorstander van kamers met een mooi uitzicht. Wat de frisse lucht betreft, daar verlang ik niet zo naar. Ik moet weliswaar toegeven dat er een stimulerende werking van uitgaat, maar ik verlang er zelden naar op die manier te worden gestimuleerd. En wat betreft het verlangen om deel van de natuur of de stad te zijn: meestal weet ik dat ik daar deel van ben, behalve wanneer ik er niet zo zeker van ben, maar ik heb nooit gemerkt dat een wandeling door een landschap of een drukke straat mijn overtuiging op dat punt heeft versterkt. Ik leef al lang genoeg om te weten dat de meeste mensen bezigheid nuttig vinden en er kracht aan ontlenen, maar ik behoor niet tot dat slag; integendeel, ik vind het alarmerend en vervreemdend. Dat is één reden waarom ik geneigd ben alleen op vakantie te gaan en waarom het uitgesloten was dat ik een hut met iemand zou delen, hoewel dat aanmerkelijk goedkoper was geweest. Er zouden op deze reis al genoeg activiteitseisen aan me worden gesteld zonder het voorstel van een vrolijk pratende hutgenoot om van mijn kooi op te staan en een frisse neus te gaan halen door een wandeling over dek te maken. Omdat ik een reis naar de meest ontoegankelijke plek op aarde maakte, was dat voor mij nog geen reden voor meer vrolijk gepraat dan absoluut noodzakelijk was.

Toen de motoren van de Vavilov eenmaal onder me begonnen te snorren en het schip langzaam bij de kade vandaan voer, moest ik de invoering van de tijd wel erkennen. Met de aanvang van de zeereis begon een schema dat de reis zou wegtikken en dat nu al direct beperkingen oplegde aan mijn geluier in mijn kooi. Ik suste mijn onrust over de onvermijdelijke onderbreking van mijn tijdvrije momenten met de belofte dat ik op geregelde tijden naar de kooi zou terugkeren. Korte vakanties van het tijdschema. Maar een vakantie met een tijdschema, dat weer binnen een groter rooster valt, is natuurlijk niet de vrijheid van afspraken waarvan ik graag zou genieten. Er is vaak tegen me gezegd dat ik zo'n leven, als ik het kon hebben, zou verfoeien, dat ik verveeld en rusteloos zou zijn, ernaar zou hunkeren om deel te nemen aan de wereld van tijd en noodzaak. Dat is op geen enkele manier echt te testen, aangezien zelfs ik weet dat een leven zonder afspraken niet haalbaar is, dat mijn verlangen om de taken die ik moet doen af te maken teneinde vervolgens eindelijk vrij te zijn om nooit meer iets te hoeven doen, een fantasie is, of in elk geval een beschrijving van de doodse staat – altijd in de veronderstelling dat de ontbinding van mijn lijk niet als storend zal worden ervaren. Maar ik weet ook dat de verveling en rusteloosheid waar ik weleens last van heb tijdens de periodes waarin ik vrij verstrijkende, verplichtingloze tijd ervaar, een merkwaardig onderdeel vormen van het genoegen ervan en volstrekt geen afbreuk doen aan mijn gevoel van welbevinden. Het is inderdaad niet waar dat ik me nooit verveel, maar ik vind het kennelijk niet erg om me te vervelen. En als een sociaal deel van mijn geest me voorhoudt dat er iets mis is als ik verveling een bevredigender toestand vind dan dreigende activiteit, geef ik dat zonder een spoor van angst toe. Dat zal best, maar wat dan nog? Als ik op mijn oude dag eenzaam, afgeleefd en geïsoleerd ben, ontdek ik wellicht dat ik het mis heb gehad, dat het louter een dwaas idee is geweest dat in stand is gehouden door de onmogelijkheid om het te verwezenlijken. Dat zal best, maar wat dan nog? Zoals de zaken er nu voor staan, is een telefoontje dat tot activiteit aanzet nooit zo welkom als een telefoontje dat een activiteit afzegt. Niet dat ik de dagelijkse regelmaat op zich niet kan verdragen. Er bestaat een soort innerlijke regelmaat die de kern vormt van plezierige periodes. Als ik alleen thuis ben, sta ik op, werk, eet, slaap, werk, slaap en eet in een prettige routine die door mijn lichamelijke behoeften wordt voorgeschreven. Ik heb honger, ik eet. Ik heb slaap, ik slaap. En werk, vooral de langdurige klus van een volledig manuscript, verstoort dat niet, heeft geen enkele moeite met de lichamelijke eisen. Op een zonnige vakantie zonder iemand om een wandeling voor te stellen, valt de dag neer in bevredigende plooien van zonaanbidden, werken, eten en slapen, die door de zon worden bepaald. Ik erger me niet aan de behoeften van mijn lichaam of de beweging van de planeet en ben volkomen bereid me door hun ritmes te laten leiden. Het zijn de afspraken die van buitenaf komen, die worden gemaakt door mensen met een ander rooster dan ik, waar ik moeite mee heb. Ik heb ermee geleefd en doe dat nog steeds, maar ik verlang er diep vanbinnen naar om daarvan bevrijd te zijn. De beweging van de Vavilov was het eerste telefoontje. 'Weldra' was in gang gezet. Weldra zouden we worden geroepen voor de briefing. Weldra zou ik mijn medereizigers ontmoeten en zou de vaste regelmaat van onze dagen beginnen. Er zouden maaltijden en lezingen en tochtjes naar de wal volgen. Ik lag op mijn kooi en probeerde me hartstochtelijk vast te klampen aan de paar ogenblikken die me nog restten voor het allemaal zou beginnen, maar de hartstocht maakte een eind aan de vrede en ik merkte dat ik al lag te wachten op wat komen ging.

De briefing deed sterk denken aan een eerste samenkomst op school. Alle plaatsen in de vergaderzaal waren bezet door de zeventig passagiers en zeven expeditieleiders. We wilden allemaal positief beginnen en wisselden glimlachend namen uit tot we tot de orde werden geroepen door Butch, onze leider – nee, hij heette niet echt zo, maar hij zal voor mij altijd Butch zijn –, die met de overige stafleden voorin stond.

De Regels. 'Eén hand voor het schip' was doorlopend van kracht: hou altijd één hand vrij om je stevig vast te houden aan de veiligheidsstangen, zowel binnen als aan dek. Kom op tijd eten. Laat alle natte kleding achter in het modderhok op dek één: geen modderige laarzen in de gangen of hutten. Blijf als je aan land bent steeds in het zicht van een expeditieleider en als je wordt geroepen, ga je onmiddellijk terug naar het verzamelpunt. Neem niets, geen steen, geen losse veer, van een van de landingsplaatsen mee. Laat niets op het land achter. Hou je precies aan de instructies van de bemanning en geef een zeemanshand (hand op pols) als je in of uit een zodiac stapt (de zwarte, gemotoriseerde rubberboten waarmee we aan land zouden gaan). We waren altijd welkom op de brug, maar moesten zachtjes praten en mochten de Russische bemanningsleden die de wacht hadden niet hinderen bij hun werk.

Butch was een lange Amerikaan met een dikke nek, een walrussnor en een diepe, sonore stem, en er verschenen rimpels in zijn voorhoofd wanneer hij sprak, alsof hij zijn zinnen eerst samenstelde en dan pas zijn mond liet uitgaan. Praten ging Butch niet gemakkelijk af. Bondigheid behoorde niet tot zijn leiderskwaliteiten. 'De zodiacs zijn min of meer ontwikkeld, ontworpen, uitgevonden door iemand van wie u misschien wel hebt gehoord: Jacques Cousteau. Ze worden via de valreep betreden.' 'Het zwemvest is een drijfmiddel.' 'Uw belang wijkt nogal af van waarom u aan wal gaat.' We kregen alle informatie die we nodig hadden, maar verpakt in een vlies van taal, waardoor het moeilijk was je te concentreren op wat er werd gezegd in plaats van hoe het werd gezegd. Het had iets aandoenlijks zoals de langdradige Butch, de man van actie, verstrikt zat in woorden. Uit de blikken van de rest van de expeditieleiding was weinig op te maken, maar een of twee slaagden er niet in hun ongeduld volkomen te verbergen.

Terwijl Butch praatte, begon het schip onder ons heel levendig aan te voelen doordat het op en neer deinde toen het in het open water van Straat Drake kwam. Het was niets dramatisch, niets dat een echte zeeman zou opmerken, maar voor mij was dat het moment waarop ik besefte dat we echt op zee waren, echt over het grillige oppervlak van diep water voeren. Toen de sterkere beweging gemompel uitlokte, deelde Butch ons mee dat we ons in de meest onvoorspelbare wateren van de planeet bevonden en dat we de komende dagen wellicht zouden merken dat we 'wat werden omgeschud'. Daar moesten we op voorbereid zijn door die avond alle losse dingen in de kasten en lades te bergen, aangezien er werd verwacht dat het rond één uur de volgende morgen nogal onstuimig zou worden. De briefing eindigde pas kort voor zeven uur, toen er een sloepenrol op het programma stond. We gingen allemaal terug naar onze eigen hut om het zwemvest uit de la onder de kooi te halen en op het alarm te wachten, waarna we ons bij de ons aangewezen sloep verzamelden.

De twee oranje sloepen waren net minionderzeebootjes, niet de open roeiboten uit films en meer gematigde wateren. Bij een onvoorziene ontmoeting met een ijsberg moesten we al onze warmste kleren aantrekken en ons kalm verzamelen om ons in hun lege, donkere inwendige te proppen en het luik te sluiten. In deze zeeën houdt een menselijk lichaam het ongeveer tien minuten in het water uit voordat het onderkoeld raakt.

'Ze hebben een reservesysteem,' hoorde ik een stem achter me zeggen toen we weer naar binnen dromden. 'Ga maar op het dek hieronder kijken.' Ik draaide me om en zag een magere, vrij lange, grijze vrouw met tintelende blauwe ogen. De man die naast haar stond te grinniken was kleiner, tengerder, had een baard en had opvallend genoeg vrijwel dezelfde levendige ogen. Ze waren allebei halverwege de zestig, hij misschien iets ouder dan zij. Ze hadden tijdens de sloepenrol terzijde grapjes gemaakt over de overlevingskansen in zo'n emmer met een dak erop. Ik mocht het stel, vooral de vrouw, en dat gold ook voor hun accent, hun harde hese stemmen, hun droge gevoel voor humor en, ondanks hun kwiekheid van het gezonde buitenleven, hun stadsheid. Ik voelde me bij hun onmiskenbaar New Yorks joodse stijl op mijn gemak zoals tijdens deze reis nog niet was voorgekomen. Toen ik naar het dek eronder ging, zag ik een witte, roestige, aftandse Volkswagen Golf, die heel detonerend tegen de reling was gesjord.

Zodra ik mijn zwemvest weer in de la had gelegd, kondigde een opgewekte stem over de luidspreker aan dat de bar open was voor een drankje voor het eten. Ik ging de twee trappen naar de eetzaal af en zag dat de bar al vol stond met mensen die bezig waren elkaar te leren kennen. Daniel, de barkeeper, mixte een manhattan voor me en koelde die met stukjes gletsjerijs van een brok dat in Ushuaia aan boord was gekomen. Hij was al helemaal op dreef en legde Grote Jim net uit dat hij een acteur uit Toronto was. Hij had voor de reis aangemonsterd, zei hij, omdat hij verliefd was. 'Zoals je dienst neemt bij het vreemdelingenlegioen?' vroeg ik me af. 'O nee, ze houdt ook van mij. We zijn verliefd.' De openlijke romance van de jonge Daniel was het aanzien waard. Met dromerige ogen vertelde hij ons van de schoonheid en gratie van zijn geliefde, een Argentijnse uit Buenos Aires. Hij was als barkeeper in de Zuidelijke IJszee gaan werken om op die manier bij haar in de buurt te zijn – hoewel Buenos Aires wellicht bijna even ver bij het Antarctisch Schiereiland als bij Canada vandaan ligt. 'Ik schrijf haar elke dag, soms twee keer per dag,' zei Daniel enthousiast tijdens het mixen en schudden van de drankjes voor de volgende klant. 'Ik kan ze natuurlijk pas posten als we op Zuid-Georgië aankomen en dan pas weer als ik terug ben in Ushuaia, maar ik zou me niet gelukkig voelen als ik naar bed ging zonder dat ik haar had geschreven.' Terwijl ik wegdwaalde, nippend aan een vrij goede manhattan, hoopte ik dat Daniels geliefde wist wat voor een parel ze had. Vervolgens vroeg ik me af of het niet beter zou zijn als ze dat niet besefte. Een parel kan een vreselijke last zijn. Ik besloot ervan uit te gaan dat Daniels geliefde absoluut niets met mij gemeen had en dat het allemaal even heerlijk was als het klonk en dat ze gelukkig en tevreden samen oud zouden worden. Daarna beperkte ik mijn romantische overwegingen tot het idee en de praktijk om een manhattan te drinken die met gletsjerijs was gemaakt.

Ik liep langs Minder Grote Jim en lachte naar hem, maar bij het zien van het joodse echtpaar van de sloepenrol, dat op een hoekbank naast de bar zat, week ik van mijn koers af om hun kant op te gaan en ik werd hartelijk verwelkomd toen ik vroeg of de ruimte naast hen vrij was. 'Heb je het levensreddende reservesysteem gezien?' vroeg Emily me met een glimlach. 'Zodra het schip begint te zinken, springen we erin en scheuren we weg,' zei Manny, die brullend van het lachen zijn hoofd achterovergooide. Ik was blij dat ze aan boord waren en dat ik hen al op de eerste avond was tegengekomen.

Emily en Manny waren al vijfenveertig jaar twistziek getrouwd. Ze konden slechts praten door te redetwisten; wat de een ook zei, de ander sprak het tegen of leverde er publiekelijk commentaar op. Ze waren in een levenslange strijd verwikkeld. Tijdens het borreluur genoot ik van hun plagerige, hartstochtelijke onenigheid, hun toewijding aan het dispuut.

'Ach, wat is hij toch een zuurpruim,' zei Emily me toen Manny het burgerlijke uiterlijk van onze medepassagiers kleineerde. 'Hij is een stuk ouder dan ik.'

'Zij is ook niet meer zo piep. Ze moet met me kibbelen. Ze moet het idee hebben dat ze gelijk heeft.'

'Hij wil altijd het laatste woord hebben.'

'Dat is ook altijd een goed woord.'

'Praatjes. Praatjes. Praatjes.'

Dat alles tussen geklets door over waar we vandaan kwamen en waarom we daar waren. Het was een privéduet dat de grenzen van de privacy had overschreden. Het ging gepaard met een luidruchtigheid die me bevrijdde van mijn gêne als toeschouwer en me liet genieten van het geboden amusement. Voorlopig verkoos ik niet na te denken over de opeenhoping van vijfenveertig jaar wederzijdse onenigheid en me niet af te vragen hoe deze komische oorlog binnenskamers zou zijn, maar genoot ik gewoon van de voorstelling. Ik was een buitenstaander en niet verplicht de eventuele bijbehorende pijn te verwerken. Hoewel hij overdreef en me een enigszins onbehaaglijk gevoel begon te geven, voelde ik me tot het echtpaar aangetrokken, niet alleen vanwege hun amusementswaarde, maar ook door een onberedeneerd idee dat hun strijdlust wellicht een band van genegenheid tussen hen was. Op een of andere manier leek me dat beter mogelijk en als vorm van kameraadschap zelfs te verkiezen boven Daniels verblijf in de wereld van suikerzoete romantische liefde.

Ik ben me ervan bewust dat ik word aangetrokken door

onbekende echtparen die ongeveer een generatie ouder zijn dan ik, door mensen die mijn ouders hadden kunnen zijn en die in de ogen van een vreemde samen de jaren zijn doorgekomen en zich bij elkaar hebben aangepast. Ik heb die neiging in mezelf gadeslagen toen ik enkele jaren geleden een paar weken op een minuscuul Caribisch eilandje doorbracht. Ze hadden het huisje naast me, waren Frans, eveneens in de zestig en maakten een rustige en tevreden indruk. We hebben nooit een woord gewisseld, hoewel we elkaar met een glimlach goedemorgen wensten en we op een middag onze stilzwijgende verbazing en vreugde hebben gedeeld over een enorme leguaan die tussen onze huisjes in de zon lag te bakken. Toen er eens een prachtig jacht met heel veel zeilen langsgleed, overhandigde hij me zijn verrekijker terwijl we stonden te kijken hoe het schip zoetjes verder voer. Elke morgen begaf ik me na het ontbijt met een boek, zonnebrandlotion en een draagbare cd-speler naar een afgelegen strand aan de andere kant van het eiland om in mijn eentje de zon te aanbidden en naar de zee te staren. De twee Fransen, die na mij op het eiland waren gekomen, vonden dat strand ook, en deelden het met me, maar spreidden hun handdoeken op een goede, niet hinderlijke afstand van mijn stekkie uit. We zwaaiden naar elkaar wanneer zij of ik op het strand arriveerden en als we weer vertrokken. Verder kwam er nooit iemand, behalve om een kijkje te nemen en weer door te gaan. Ik genoot van hun gezelschap in de verte, alsof ze mijn genoegen in het verlummelen van de uren accepteerden en goedkeurden. Ik hield van wat ik als hun instemming beschouwde en van de niet opdringerige, wederzijdse glimlachjes en wijzende gebaren toen een prachtige vogel met een lange hals op het strand tussen ons in landde. Voor ze vertrokken, kwamen ze naar mijn huisje om afscheid te

nemen en we feliciteerden elkaar ermee dat we zulke bijzonder prettige buren waren geweest. De volgende dag hinder-
de hun afwezigheid op het strand me. Niet dat ik het erg
vond om alleen te zijn, maar het drong tot me door hoezeer
ik in hen verre, instemmende ouderfiguren had gezien, die
me mochten en me mijn gang lieten gaan. Ik miste hen en
voelde me een beetje dwaas omdat ik in de wereld buiten
mijn psyche een paar 'goede' fantasieouders had laten ontstaan. Te behoeftig, dacht ik, maar aan de andere kant had
het geen kwaad gedaan. Het was niet erg om mensen te missen, ook al waren het de verkeerde mensen, want ik was niet
in hun leven verward geraakt.

Emily en Manny Roth waren niet gewoon het verbonden
oudere echtpaar dat ik me graag voorstelde, maar ook nog
eens levendig, verbaal ingesteld en joods. Geen wonder dat
ik weg van hen was. Maar tijdens het eten bleef er niets van
mijn fantasieën over. Hoewel we nog altijd door een tafel
werden gescheiden, was ik hen dichter genaderd dan mijn
tere fantasie kon verdragen. Ik leerde de waarde kennen van
de stilte en de ruimte die ik op het Caribische strand tussen
mijn droomouders en mezelf had bewaard.

De Roths woonden al jaren in Santa Fe.

'Wat doe je?' vroeg ik.

'Ik ben een vechter,' snauwde Emily terug. 'Ik heb twee
kinderen grootgebracht en ik doe niets anders dan vechten
waar de strijd vechters nodig heeft.'

'Tjonge, wat is ze een vechter,' kreunde Manny, maar met
trots in zijn stem.

'Waar vecht je tegen?'

'Alles. Ik ben gewoon dol op vechten. Ik houd van de ge-
vechten van man tegen man. Ik ben een echte straatvechter
en ik ben er niet zachtzinniger op geworden, maar nu ik vijf-

enzestig ben, merk ik dat ik bezorgd begin te raken dat er tanden worden uitgeslagen en dat mijn gezichtsvermogen wordt beschadigd. Ik ben voorzichtiger dan vroeger. Ik begin moe te worden. Tegenwoordig richt ik mijn strijd op wat zich om ons heen afspeelt.'

Vermaakt en geïntrigeerd door haar felle, al te dramatische beschrijving van zichzelf, veronderstelde ik dat het om politiek engagement ging en ik zag al demonstraties op straat voor me tijdens de strijd voor de burgerrechten, de koude oorlog en de executie van de Rosenbergs, tegen McCarthy, tegen Vietnam en tegen het ellendige lot van de Mexicaanse immigranten. Ik had gelijk ten aanzien van het politieke engagement, maar had de plank volkomen misgeslagen voor wat betreft de aard ervan.

'Ja,' vervolgde Emily met een zucht. 'Tegenwoordig schrijf ik alleen nog maar brieven en zet ik de regering onder druk vanwege het gemeenschapsgeld dat maar in de indianen wordt gepompt en in die massa's kinderen die ze fokken. De grote slag hebben we al gewonnen. De strijd tegen de communisten om onze mensen uit de Sovjet-Unie te halen.'

'Onze mensen?'

'De joden. Om de joden uit Rusland te halen, naar huis te brengen.'

'Naar huis?'

'Naar Israël. Waar anders?'

Ik kon begrijpen dat je het opeisen van het recht op emigratie van de Sovjetjoden kon combineren met betogingen tegen Vietnam en voor de burgerrechten, maar de verwijzing naar de indianen wees op een totaal andere agenda. Terwijl mijn hart me in de schoenen zonk, koos ik er aanvankelijk voor de iets minder verontrustende mogelijkheid op te helderen.

'Dan zijn jullie dus zionisten?'

'Zionisten en bij alle politieke aangelegenheden staan we ruim rechts van Attila de Hun,' antwoordde Emily trots, waarmee ze zowel mijn gestelde als mijn ongestelde vragen beantwoordde met het welbehagen van een herboren straatvechter die ruzie zoekt. 'We zijn aanhangers van Kahane. Tjonge, wat hebben we feestgevierd toen we hoorden dat Rabin was vermoord. Hij had erom gevraagd. Niemand wilde hem aan de macht hebben, behalve de Arabieren en een stel socialisten.'

Rabbi Meir Kahane was een jood uit Brooklyn, de oprichter van de Jewish Defence League, een ultra-orthodoxe, militante, fundamentalistische groepering die tot doel heeft alle joden naar Israël te laten terugkeren. Hij is in 1990 vermoord, na zijn leven lang Arabieren te hebben beledigd, evenals negers en alle joden die in andere culturen waren opgegaan. Vooral de laatsten. Bij een herdenkingsdienst voor Kahane in Jeruzalem, na de moordaanslag op Jitschak Rabin, hebben de aanhangers van Kahane volgens de kabbala de getallen van de naam van de moordenaar berekend in de overtuiging dat die samen 'Messias' zouden vormen.

'Israël is het vaderland van de joden,' legde Manny uit toen hij de ontsteltenis op mijn gezicht zag.

'Niet van mij.'

'Dan ben je geen jood,' zei Emily vrij vriendelijk. 'Je verloochent jezelf. Je bent een jood die geen betekenis meer heeft.'

'Je bent helemaal geen jood,' hield Manny vol.

'Je bent verloren,' zei Emily treurig tegen me.

'Maar waarom wonen jullie in Santa Fe? Waarom niet in Israël?'

Daar hadden ze gewoond. Ze waren naar Israël geëmigreerd, maar dat was geen succes geweest. Na twee jaar waren ze teruggegaan naar de Verenigde Staten.

'Waarom?'

'We konden al die joden daar niet uitstaan,' grijnsde Manny en bulderde toen van het lachen.

'Maar we zijn naar Israël gevlogen toen de scuds daar neervielen. Om in tijd van nood bij ons volk te zijn.'

Ik was bijzonder ontdaan door de Roths. Vreemd genoeg voelde ik me echter nog steeds aangetrokken tot Emily, hoewel ik haar opvattingen verfoeide. Ze was gemakkelijker in de omgang, klonk minder Messiaans, was warmer, al vermoedde ik dat ze eigenlijk de fanatiekste van de twee was. Emily was uiteraard niet praktiserend joods opgevoed. Ik verlangde naar het eind van de maaltijd, omdat ik voor mijn gevoel nog maar de helft van hun overtuigingen kende en ik de rest niet wilde horen. Voor hen was ik een verloren jood en dat moet in hun ogen even akelig zijn geweest als zij voor mij waren. Ik vroeg me af of ik ondanks mijn ontzetting over hun standpunten toch nog naar hun goedkeuring verlangde. Opnieuw dat oudergedoe, dat niets te maken had met hoe er door hen of mij over de dingen werd gedacht. Ik voelde me ontmoedigd, door hen en door mezelf.

Eindelijk was het diner voorbij, hoewel ik pas naar mijn hut kon terugsnellen nadat Butch een volgende welkomsttoespraak had gehouden en ons had voorgesteld aan de kapitein, die met enkelen van zijn officieren aan een tafel in de hoek zat. Kapitein Kalasjnikov, heel klein, maar op-en-top een kapitein in zijn hippe uniform, stond op en boog plechtig. Daarna deelde Butch het programma voor de volgende dag uit. Bovenaan stond een gedachte voor die dag. Masefield: 'Ik moet weer teruggaan naar de zeeën, naar de eenzame zee en de lucht...' Acht uur ontbijt. Tien uur een lezing over het zuidpoolgebied en de subantarctische eilanden. Twaalf uur lunch. Om twee uur opnieuw een lezing, nu met de onheilspellende titel: 'Leven op zee: alleen voor de vogels?' Om vier uur thee met iets erbij. Het borreluurtje om zes uur, het diner om acht uur en de avond werd besloten met de vertoning van de videofilm *The Fugitive*. Heb ik gezegd dat ik een tijdschema voelde aankomen? Ik raakte enigszins in paniek terwijl ik me afvroeg hoe ik erin zou slagen op mijn kooi te liggen en naar de zee te staren. Maar toen kon ik in elk geval terugkeren naar hut 532.

Het was ongeveer halftien 's avonds en nog steeds licht. Toen ik mijn gang verkende, ontdekte ik een deur aan het eind en daarachter een klein open dek met een stel banken. Een eenzame plek buiten om te zitten staren. De wind was even sterk als een vuist en onder een eierschaalgrijze lucht was de zee stralend blauw, als de inhoud van een fles koningsblauwe inkt, Quink-achtig blauw en woelig. Kleine golfjes braken op het oppervlak vol witte schuimkopjes. Maar onder die drukke beweging maakte het wezen van de zee een immens diepe en massief stille indruk, alsof het er niet toe deed wat zich op het oppervlak afspeelde. Afgezien van de wind was het niet erg koud. Er was daarbuiten niets, alleen de gebogen lijn van de horizon toen ik eerst aan de ene en vervolgens aan de andere kant van het schip over de reling leunde en me ook omdraaide om achter me te kijken. We waren werkelijk van alles verlaten en er was voor zover het oog reikte niets anders dan zee en lucht. Het was niet wit, maar echt leeg. Ik raakte wat ontkrampt van mijn avond met de Roths terwijl ik naar de watervlakte staarde en me herinnerde dat we daar drie volle dagen van zouden krijgen. We zouden als eerste Zuid-Georgië aanlopen, 800 mijl ten zuidoosten van Ushuaia, en daartussenin was niets anders dan zee, lucht en ruimte. Op deze breedte kun je de aarde rondreizen zonder op een enkel stuk land te stuiten tot je weer op je vertrekpunt bent. Daardoor kunnen wind en storm in deze contreien uitgroeien tot orkanen: ze worden door niets tegengehouden terwijl ze de wereld rond waaien en als een schaatser steeds meer snelheid krijgen. Ik had geen haast om land te zien. Ik vreesde eerder het idee dat het schip zou stoppen en dat ik van boord zou moeten gaan om het land te verkennen. Drie dagen reizen over water leek echter een weelde, lang genoeg om elke gedachte aan land uit mijn geest te bannen. Ik was bekoord door de zee, waar zoveel van was, en het verlangen naar sneeuw en ijs en witte plekken werd voorlopig opgeschort.

Ongeveer een uur later ging ik terug naar mijn kooi, kroop onder het dunne dekbed en keek een tijdje naar de lucht buiten mijn poort voor ik het exemplaar van *Moby Dick* opensloeg dat ik had meegenomen omdat ik nu of nooit mijn afkeer van nautische literatuur moest overwinnen. Bij de derde bladzij lag ik te spinnen van plezier over de energie en vrijheid van Melvilles stijl, maar rond middernacht, hoewel het toen buiten nog steeds zilverig licht was, had ik kleine oogjes door de zeelucht waar ik niet aan gewend was, en waarschijnlijk ook door mijn schokkende ontmoeting met de Roths, en viel ik in slaap.

Plotseling was ik ineens klaar wakker. Het moest ochtend zijn, want het was licht in de hut. Maar de klok stond op halftwee en hoewel het in Londen een doorsnee bewolkt moment tussen de middag had kunnen zijn, waardoor ik me schandelijk zou hebben verslapen, was het in werkelijkheid midden in de zuidelijke zomernacht. Ik had de gordijnen om het bed niet dichtgedaan, waardoor het gebrek aan duisternis in mijn hersenen moest zijn doorgesijpeld, die ervan in de war waren geraakt en zich hadden voorbereid op een nieuwe dag. Ik stond op en keek naar buiten, waar ik tot mijn opluchting nog steeds niets anders zag dan de onmetelijke zee. De vreemdheid van dit oneindige daglicht en mijn gedesoriënteerde levensfuncties stonden me wel aan. Ik lag een tijdje te lezen en viel weer in slaap, maar niet lang. Om halfvier was ik opnieuw volkomen wakker en klaar om de dag te beginnen, maar toen bleef ik gewoon in mijn kooi liggen en werd ik me ervan bewust dat het schip, en ik daardoor ook, anders bewoog.

Het slingeren was nu echt begonnen en het schip stampte op en neer, niet ruw, maar met een langgerekt, deinend ritme. Mijn kooi stond dwars op de lengterichting van het schip, waardoor het voor mij leek of het voor- en achterschip zijdelings slingerden, over mijn lichaam heen, alsof ik in een hangmat heen en weer zwaaide. Mijn lichaam voerde een soort dans uit op de muziek van het schip, dat zelf op het ritme van de zee danste. Een drievoudige syncope: de zee, het schip en ik, die afzonderlijk maar in de maat bewogen. Als ik me concentreerde, kon ik de beweging van elk van die elementen onderscheiden, was eerst de ene en dan de andere beweging voor mij het voornaamste. Wanneer ik me vooral richtte op de beweging van mijn lichaam, en de zee en het schip naar de achtergrond liet vervagen, leek het net of ik licht en zonder enige hulp door de lucht zweefde, zoals zeevogels doen, die windvlagen opvangen, die op de ene opstijgen en vervolgens neervallen op de volgende, waar ze weer door worden opgetild.

Daarna liet ik de diverse niveaus die mijn beweging veroorzaakten (mijn kooi, het schip en de diepte van de zee) tot me doordringen tot ik door de planeet zelf werd gewiegd, en ook door de maan, veronderstel ik, die net zichtbaar was in de daglichte lucht, aangezien de door mij ervaren getijbewegingen ook door haar aantrekkingskracht ontstonden. Dit was geen stormachtige zee, wist ik, was niet te vergelijken met de heftigste momenten die in Straat Drake mogelijk zijn. De stijgende en dalende beweging van het schip had iets zachts, wat merkbaar was in het geslinger van mijn kooi. Als om de zoveel tijd de deining tegen de boeg sloeg, zakte het schip weg en slingerde het van links naar rechts, waardoor mijn beweging veranderde en ik in de lengte in plaats van zijdelings werd gewiegd. En soms maakte het schip een diepe duik als het op een grotere golf stuitte en dan bokte het fel, waardoor mijn ingewanden een geheel eigen beweging maakten en een nieuw niveau toevoegden aan de niveaus die ik al in de gaten hield. Ik bleef een tijdje stil liggen en probeerde een soort patroon in de diverse vormen van gewieg te ontdekken: het innerlijke ritme dat overeenstemde met het ritme van het schip dat overeenstemde met het ritme van de zee. Misschien leek het op paardrijden. Ik vond het heerlijk en het stemde me volkomen tevreden om dit te doen, of niet om dat te doen, maar om daar gewoon met een glimlach op mijn gezicht te liggen en midden in de nacht op de oceaan te genieten van het daglicht.

Toen ik in de inrichting in Hove zat, was het winter en heb ik uren op het verlaten kiezelstrand doorgebracht, kijkend naar de zee, de neerduikende meeuwen, de vallende sneeuw en de wind die de golven opzweepte. Ik vind het fascinerend om naar water te kijken. Het bevalt me ook om in water te liggen. Een bad heeft slechts zijdelings iets met schoon worden te maken; ik neem een bad om mijn geestelijke en lichamelijke welzijn te herstellen. Niets doet me zo goed als het zitten in warm water. Ik houd er eveneens van me op water te bevinden. In zonnige oorden kan ik het grootste deel van de dag op een luchtbed op het zeeoppervlak drijven, terwijl ik me door de golven naar de kust laat brengen en weer met mijn armen wegpeddel, dobberend op de deining. Dat leek het meeste op het genoegen om nu liggend in mijn kooi door Straat Drake te varen. Er was uiteraard ook nog die andere vorm van drijven: zwevend in het vruchtwater in de schoot, waar moederlijke bewegingen kleine golfjes moeten veroorzaken die je wiegen en laten schommelen. Ik verbaasde me erover dat ik nooit had nagedacht over het feit dat mijn moeder – míjn moeder – me in zich had gedragen. Ik moet er natuurlijk over hebben nagedacht, maar zal het idee wel hebben losgelaten omdat het zo onaannemelijk, zo onwaarschijnlijk was. Het was echter zonneklaar waar mijn huidige vreugde om aan boord te zijn, mijn vruchtwaterfantasie, vandaan kwam. Ik heb mijn leven lang proberen te ontkomen aan de onontkoombare conclusie, verbeeldde me altijd liever dat ik een vondeling of zelfs een buitenaards wezen was dan dat ik aannam dat ik negen warme, tevreden maanden in mijn moeders baarmoeder had doorgebracht. Dat ik me in haar lichaam voor het eerst prettig had gevoeld. Dat haar lichaam me had gevoed. Het leek me een ongelooflijke gedachte, maar de kracht en sensualiteit van mijn verrukking om me op de oceaan te bevinden gaven de doorslag. Het moest daarbinnen prettig zijn geweest. Toen kende ik mijn moeder nog niet. Mijn moeder wist nog niet hoe slecht het allemaal voor haar zou uitpakken. We waren allebei onschuldig en onwetend geweest. Het was vast een goede tijd geweest. Maar ik werd draaierig bij het idee dat mijn moeder, de moeder die ik kende, me werkelijk in haar lichaam had gevoed.

En ook door de mogelijkheid, nu ik toch aan mijn moeder

dacht, de waarschijnlijkheid zelfs, als ik eerlijk was, dat ik binnenkort, na dertig jaar, te weten zou komen of mijn moeder nog leefde of al dood was. Sinds Chloe me had verteld van de overlijdensakte die ze had gevonden, had ik de twee superpositionele mogelijkheden van mijn moeder een of twee keer naar voren gehaald en een poging gedaan ze stuk voor stuk voor te stellen alsof ze een feit waren, maar tijdens mijn concentratie op het idee dat mijn moeder nog leefde, was er slechts een soortgelijke duizeling ontstaan als ik nu voelde bij het idee dat ik mijn moeders foetus was geweest: een draaierigheid in mijn hoofd en in mijn zonnevlecht alsof ik op een hoog punt stond en naar beneden keek. Bij het idee dat ze dood was, had ik geen enkele gedachte kunnen oproepen, geen spoor van emotie. Als je iemand heel lang niet hebt gezien, zal het wel moeilijk zijn om een emotie te voelen over de voortduring van die afwezigheid, zelfs als de staat van de persoon in kwestie is veranderd doordat die niet meer leeft. Gewoon meer van hetzelfde. Alleen meer zekerheid. De algemene populaire psychologie zei me echter dat er een of andere emotie moest horen bij het positieve nieuws van mijn moeders dood. Niets. Aan de andere kant was er tot nu toe nog geen 'positief' nieuws van haar dood. Ik hield mezelf voor dat ik werkelijk meer mijn best moest doen en er iets van moest vinden, zelfs een of twee emoties moest voelen als ik nadacht over mijn moeder en de mogelijkheid dat ze al dan niet bestond, maar aangezien ik niet scheen te weten hoe ik moest weten wat ik dacht, laat staan hoe ik moest voelen wat ik ervan vond, besloot ik het, net als Scarlett O'Hara, uit te stellen tot een andere dag.

De draaierigheid verdween ogenblikkelijk en ik bevond me weer lekker op mijn drijvende bed, zonder meer de plek waar ik wilde zijn. En drie dagen lang kon zijn. Ik zou lezen, in bed liggen en af en toe een kijkje aan dek nemen en naar de brug gaan om te zien hoe het aan de andere kant van mijn raam was, om te kijken waar we waren, al deed dat er niet toe, maar ik wilde mezelf op de kaart kunnen aanwijzen. De lucht aan de andere kant van mijn raam was bedekt met duifgrijze wolken en ik zag daarbuiten niets anders dan somber wit, behalve wanneer ik rechtop ging zitten, dan zag ik de inktzwarte zee en somber wit. De horizon was heel ver weg.

Wat zou er toch met Jennifer zijn gebeurd?

MEVROUW ROSEN In de loop der jaren hebben we vaak
  gezegd...
MENEER ROSEN ... Dat arme kind toch.
MEVROUW ROSEN ... Nee, we hebben vaak gezegd: wat
  zou er toch met Jennifer zijn gebeurd?
MENEER ROSEN Ja, heel vaak, wat zou er toch met Jennifer zijn gebeurd? Dat is een mooie titel voor je.

Jennifer staat me ongeveer even scherp voor ogen als de jonge
Jane Eyre, Mary uit *The Secret Garden*, Peter Pan en Alice.
Minder scherp zelfs, aangezien de laatste vier nog voor het
grijpen staan op mijn boekenplanken en ik de kennisma-
king met hen heel regelmatig heb hernieuwd. Jennifer heb
ik me slechts af en toe herinnerd terwijl we door steeds meer
jaren werden gescheiden, en telkens wanneer ik me haar
herinnerde en weer opnieuw herinnerde, ontglipte het levende, werkelijke feit van haar bestaan me meer en meer.
Als persoon is ze veel minder wezenlijk dan Tinkel Bel, die
door de wil van anderen weer tot leven kan worden gebracht. Jennifer licht niet op als ik terugdenkend in mijn
handen klap; ze heeft nog slechts een vaag innerlijk licht.

Tot voor zeer kort was ze zelfs haar naam kwijt.

Het probleem met Jennifer is dat er de afgelopen dertig jaar geen ondersteunend bewijs voor haar bestaan is geweest, zoals er wel was voor de kinderen in de boeken die ik ooit heb gelezen en kan blijven lezen. Er zijn geen plaatjes, geen geschreven woorden; er is niemand anders die zich haar herinnert en mij over haar heeft verteld. Ze bestaat uitsluitend in mijn hoofd en duikt slechts in de wereld op als personages – soms is ze er zelf een – in de romans die ik schrijf. Ze is niet betrouwbaarder dan andere verzinsels die aan mijn fantasie zijn ontsproten. Ik had haar kunnen verzinnen – ik heb haar van tijd tot tijd verzonnen.

Jennifers vaagheid geeft me als schrijver heel wat vrijheid. Het kind dat vaak in mijn romans voorkomt, heeft soms ervaringen die ik me herinner, maar zij dikwijls niet. Ik word niet gehinderd door de geschiedenis, door een absoluut gevoel dat ik de waarheid vertel of dingen verzin. Ik kan vrij spelen met wie Jennifer was, misschien is geweest, nooit had kunnen zijn. Soms lijkt het of ik juist door die afstand tussen ons dichter bij haar of een belangrijke eigenschap van haar kan komen. Bovendien is het met fictie raar gesteld. Wanneer ik echte gebeurtenissen uit mijn jeugd – of mijn volwassen bestaan – gebruik, komen ze los te staan van de herinnerde gebeurtenis zelf, louter doordat ze worden opgeschreven en in een verzonnen boek worden opgenomen, nog afgezien van de eventuele wijzigingen om ze in overeenstemming te brengen met de eisen van het boek. Als iets eenmaal is opgeschreven, heb ik twee duidelijke herinneringen: de oorspronkelijke gebeurtenis, ongeschonden en, voor mijn gevoel, over mij, en de geschreven versie, die daarnaast bestaat, levendig getekend, maar over het personage dat ik heb bedacht. Als ik dus de Jennifers ben die ik al schrijvend in mijn romans invoer, zijn het voortbrengselen van mijzelf, met een eigen autonomie – in elk geval binnen de grenzen van hun verhaal. Jennifer, het vervaagde kind, blijft even vaag als altijd. De talloze versies van Jennifer zijn niets nieuws. Als kind was ik al een groot deel van mijn tijd bezig mezelf verhalen te vertellen. Ik was zelf de helden en heldinnen om wie ik de verhalen heen verzon en toch ook weer niet. Ze hadden eigen namen, andere leeftijden en verkeerden in totaal andere omstandigheden. Ze beleefden uiterst gedetailleerde avonturen en romances en hun dromen gingen vaak in vervulling. Ze waren volgens mij altijd fictieve Jennifers.

Jennifer is in 1966 gaan vervagen, toen mijn vader stierf en mijn moeder verdween. Daarna kende ik buiten mezelf niemand die haar had gekend. Misschien is het niet met het vervagen begonnen. Jennifer begon los van me te raken, werd een ander, iemand met een eigen verhaal. Hoewel ik met mijn verstand wist dat zij en ik een en dezelfde persoon waren, kwam ze emotioneel op een afstand te staan, kreeg ze een compleet en voltooid eigen leven, dat structureel met mij was verbonden, maar er existentieel niets mee te maken had. Ik kon me haar omgeving duidelijker herinneren dan haar doorleefde ervaringen. Ik kende verhalen over haar, gebeurtenissen die in haar leven hadden plaatsgevonden en die ik kon bekijken als een reeks tableaus, maar ze was een afzonderlijke incarnatie en niet de persoon die het zich op dat moment herinnerde. Er wordt gezegd dat alle lichaamscellen eens in de zeven jaar worden vernieuwd, en dat was voor mijn gevoel waar. Jennifer bewoonde haar eigen bestaan, was lichamelijk anders, was niet dezelfde als ik, maakte geen deel uit van het continuüm dat ik was. Ik moest twijfelen aan de gedachten die ik me van haar meende te herinneren en zelfs aan haar gevoelens; misschien liet mijn herinnering aan Jennifer als het ware een marionet bewegen, waarbij ik door mijn terugblikken aan de touwtjes trok en haar zodoende tot leven scheen te brengen. Wie weet hoe Jennifer was, met alleen mijn geheugen als gids?

Mijn beelden van wat Jennifer is overkomen, bevatten altijd de gestalte van Jennifer zelf. Ik kijk niet door haar ogen – zoals je je een 'echte' herinnering zou moeten herinneren, als er zoiets als een 'echte' herinnering zou bestaan –, maar ik zie haar van buitenaf, kijk door ogen die niet tot het tafereel behoren en daardoor – of ze zouden van God moeten zijn – tijdens de gebeurtenis niet echt aanwezig zijn geweest. Verraderlijk, als er niemand is om de feiten van de gebeurtenis te bevestigen of te ontkennen. 'Ik' lijk me een voorval te herinneren waarvan ik, als iemand die zesmaal zeven zelfvernietigende jaren van Jennifer is verwijderd, onmogelijk getuige kan zijn geweest. Jennifer is er getuige van geweest en heeft er deel van uitgemaakt, maar nu behoort ze tot het beeld en is ze niet het ziende oog dat ze oorspronkelijk moet zijn geweest. Wie herinnert zich wat? Als ik aan Jennifer denk terwijl ze bij haar vader op schoot zit, zie ik Jennifer op haar rug, met haar armpjes stijf om een knappe man met zilver haar en een snor heen geslagen, die haar lachend aan het plagen is. Ik kan niet zeggen wat ik daar verdraaid nog aan toe deed – als dat werkelijke moment ooit heeft bestaan en niet slechts een weergave is van een algemene herinnering –, terzijde en op enige afstand van de stoel waarin ze samen zitten, niet substantiëler dan een paar toekijkende en wellicht ironische ogen. Jennifer was bang voor spoken. Misschien had ze daar groot gelijk in.

Jennifer was als de dood voor spoken. In de duistere nacht leefden die in gesloten kasten, onder bedden, in donkere hoekjes en nissen, en achter gesloten gordijnen. Overdag bevonden ze zich om de hoek van de verkeerde gang, achter dichte deuren, kwamen ze op haar af in de weergalmende voetstappen op de granieten trappen en waren ze altijd achter haar als Jennifer niet met haar rug naar de muur stond. Het waren klassieke monsters, die spoken, geen elfen maar lelijke, boosaardige beesten die iets tegen kleine meisjes hadden. Ze vielen graag onverhoeds aan, krijsend en met lange vlijmscherpe nagels om in vlees te klauwen en scherpe tanden om het te verscheuren. Het waren de enorme, misvormde, mythische wezens die al van god mag weten waar of wanneer bij de psyche van elk mens horen. Ze haatten Jennifer, maar het was een onpersoonlijke haat, want ze haatten alle kleine kinderen en lagen altijd voor hen op de locr. Jennifer bleef 's avonds wakker, lag te kijken naar de donkere streep tussen de kastdeur en de deurpost, te wachten tot de deur krakend zou opengaan en de moordzuchtige inhoud zou onthullen. Ze lag in bed en voelde door haar ruggengraat de aanwezigheid van de verschrikking die onder haar huisde in de ruimte tussen de onderkant van het divanbed en het tapijt, en ze wist dat die, zodra alles stil was, te voorschijn zou glippen om haar doodsbang te maken. Soms bleef ze twee uur verstijfd van angst in bed liggen, maar uiteindelijk deed ze altijd wat ze nu eenmaal moest doen. Ze stapte langzaam, heel stilletjes uit bed en liet zich op haar handen en knieën zakken om de ruimte onder het bed te bekijken. Dan ging ze naar de kast en rukte de deur met bonzend hart wijd open. Dat was de enige macht die ze over de spoken had. Als ze de confrontatie aanging, verdwenen de spoken altijd. Maar Jennifer wist dat ze zouden terugkomen. In een slechte nacht moest ze vier, vijf of zes keer opstaan voor ze zichzelf eindelijk toestond in slaap te vallen. Je liet de spoken verdwijnen door ernaar te kijken, maar het was een voortdurende strijd en voor Jennifer waren de nachtelijke rituelen eenzaam en beschamend. Ze schaamde zich omdat ze aan de ene kant weliswaar in haar merg wist dat de monsters er waren, zo goed als ze wist dat haar ouders in de andere kamer waren doordat die daar tegen elkaar tekeergingen, maar ze er aan de andere kant ook weer niet in geloofde. Ze leefde ermee samen, was er doodsbang voor, maar wist ook dat de monsters niet echt bestonden. Daardoor werden de monsters uiteraard nog angstaanjagender en nog verontrustender. Daardoor werd Jennifer des te eigenaardiger in haar eigen bestaan, terwijl ze dapper vocht tegen iets wat er nooit was, schaduwen bestreed die haar bespotten met hun onwerkelijkheid.

Een vreemde tijd, 's nachts. Behalve de spoken waren er ook nog de schreeuwende ouders. Niet elke nacht – vast niet. Maar het geheugen komt niet tot nachten waarin er niet in de andere kamer werd geschreeuwd. Soms werd er werkelijk gevochten en weergalmde het geluid van een handgemeen door de flat. Zij dreigde een overdosis te nemen. 'Neem ook wat voor mij,' zei hij dan. Beschuldigingen, haat en wanhoop kwamen luid en duidelijk binnen – de deur stond altijd op een kier. Ik had dat straaltje licht nodig om de spoken in de gaten te houden; ik moest ook weten hoe de avond voor mijn ouders verliep. Ik ging 's nachts niet alleen op spokenjacht, maar deed ook aan rituele magie. Met het geluid van hun gekijf op de achtergrond tekende ik een davidster op mijn borst – christenen konden een kruis slaan en ik zag niet in waarom ik geen davidster kon tekenen – en zei ik 'Alstublieft' tegen God, terwijl ik hem vroeg de ruzie te laten ophouden. Ik moest honderd keer alstublieft zeggen en als ik de tel kwijtraakte, moest ik opnieuw beginnen. Ik sliep nooit vroeg, want het kostte veel tijd om het ritueel te voltooien. Soms merkte ik dat ik iets anders wenste, dat ik wenste, of tot diezelfde God bad, dat mijn ouders dood zouden gaan of dat mijn echte ouders me zouden komen ophalen. Dan moest ik honderd keer 'Het spijt me' zeggen, ook al speet het me niet; ik voelde me alleen maar schuldig. In een poging de zaak te versnellen sloeg ik weleens een kruis in plaats van een davidster te tekenen. Voor mijn gevoel was het kruis meer koosjer, zou het effectiever kunnen zijn. Maar dan eisten de schuldgevoelens weer dat ik als boete voor mijn ketterij honderd keer de davidster tekende. Ik had het 's nachts erg druk. Ik slaagde er niet in me de gewoonte eigen te maken om rustig te slapen. Dat mijn ouders nooit stopten met hun gekijf, nooit echt doodgingen en dat niemand me ooit kwam opeisen, bracht me niet van mijn goede en slechte rituelen af. Het was volgens mij slechts een kwestie van vaak genoeg 'Alstublieft' en 'Het spijt me' zeggen. Als klein kind hield ik mijn geloof koppig vol.

Zodra ik er vijf minuten praktisch over had nagedacht, was het even gemakkelijk om toegang te krijgen tot de gangen van Paramount Court, waar ik al zo lang van droomde, als om de geboorte- en huwelijksakten van mijn moeder te vinden. Ik belde de hoofdportier en legde uit dat ik er ooit had gewoond en er nu over wilde schrijven. Een lector-salutembrief waarin mijn uitgever meldde hoe betrouwbaar ik was, gaf de doorslag.

'U gaat toch niet bij mensen aankloppen, hè?' vroeg hij bij mijn komst. 'Er wonen hier heel veel oude mensen.'

Ik legde uit dat het me alleen om de gangen te doen was, maar terwijl ik in zijn loge stond, zag ik een bord aan de muur met de namen van de bewoners van elke flat. Mijn oog viel meteen op de namen Rosen en Levine. Dat waren de achternamen van twee van de kinderen met wie ik in de flat had gespeeld, Jonathan en Helen. Toen ik op de lift stond te wachten om naar de derde etage te gaan, schreef ik de namen op, een beetje verbaasd dat ik me die, evenals de gezichten van Jonathan en Helen, na ruim dertig jaar nog zo goed herinnerde. Het leek me ongelooflijk dat hun ouders echt nog op dezelfde plek konden wonen. Wie bleef er nou zo lang op één plaats? Niemand die ik ooit had gekend. Maar ik krabbelde de namen toch op.

Toen ik op de derde verdieping, waar we het eerst hadden gewoond, uit de lift stapte, liep ik zo mijn geheugen binnen. Mijn herinnering aan de gang bleek te kloppen: lichte muren, een tapijt met een flets patroon en het grote raam naast de lift met de horizontale stangen, die ik vroeger had gebruikt om op te hangen, aan te zwaaien en naar de brand-trap en de steeg te kunnen kijken, waar Jonathan of Helen of Susan geheime boodschappen naar me stond te seinen. Ik liep door de gestoffeerde stilte, met zacht gemompel van te-levisies en radio's achter de gesloten deuren aan weerszij-den, naar het eind van wat nog steeds een heel lange gang leek, naar nummer 38, onze flat, vlak voor de toegang naar de achtertrap. Helemaal aan het eind stond onder het ande-re raam de bronzen, opengewerkte beschermkap om de ra-diator, waar ik urenlang tegenaan had gezeten terwijl ik las of eigen spelletjes verzon. Ik dwaalde weer terug en liep door de gang aan de tweede kant van het gebouw, waarvoor ik de gevaarlijke hoek was omgegaan die ik als kind slechts was omgegaan wanneer ik me dapper voelde. Ik voelde me daar weliswaar niet bang, maar toch vreemd, verkeerd, niet op mijn terrein, wat waarschijnlijk de oorsprong was geweest van de kinderlijke angst. Het was een plek waar ik niet thuishoorde en hoe verder ik kwam, hoe vreemder het leek, tot ik de derde hoek omging, naar de laatste korte gang, waar ik bleef staan om ernaar te kijken, zonder dat ik hem wilde uitlopen.

Maar hoewel ik regelrecht mijn geheugen en mijn dromen was binnengestapt, was ik niet terug in mijn verleden, alleen in een bevestiging van de herinnering aan mijn verleden. Ik liep door mijn dromen, niet door mijn kindertijd. Het was eerder een vorm van terugkijken dan van herbeleven. Het was nauwelijks een ervaring, gewoon een herhaling van de juistheid van mijn geheugen. Maar dat was op zich enigszins een verrassing. Ik had verwacht dat ik de dingen anders zou aantreffen dan ik ze me herinnerde.

Ik ging met de lift naar de vijfde verdieping – de liften waren nieuw, met spiegels en vaste vloerbedekking, maar nog steeds erg klein – en stapte ogenschijnlijk precies dezelfde gang in. Als kind voelde elke verdieping anders aan, denk ik, vanzelfsprekend, aangezien ik wist dat er andere mensen woonden. Nu, als volwassene, kende ik er niemand, dus voelden alle etages hetzelfde aan. De tweede flat waarin we hebben gewoond, op die verdieping, lag recht tegenover de lift. Ik stond ernaar te kijken. Het was binnen doodstil. Een blinde deur. Wat daar niet allemaal was gebeurd. Niets. Ik liep de gang door en bleef twee deuren verderop staan voor de flat van de Rosens. Er klonken geluiden van een radio. De verleiding was heel groot, maar ik klopte niet aan.

Op weg naar beneden ging ik eerst een stukje via de achtertrap, terwijl ik luisterde hoe mijn voetstappen getrouw weergalmden, en toen, weer op de derde verdieping, waar ik even voor nummer 38 bleef staan, nam ik verder de voortrap, minder mysterieus, net als altijd.

Ik verliet Paramount Court een tikje teleurgesteld, hoewel ik alles precies zo had aangetroffen als ik het me herinnerde. Ik was terug geweest, maar had alleen de herinnering aan mijn verleden bezocht, niet het verleden zelf. Het verleden was voorbij, hoewel de bakstenen en de metselspecie er nog waren. Zo had ik er altijd over gedacht, dus had het me niet moeten verbazen, maar het was in zekere zin een bescherming geweest dat ik nooit meer een voet in het gebouw had gezet. Een deel van me hoopte dat ik nog steeds door die gangen dwaalde, dat ik daar op een nieuwe manier beschikbaar voor mezelf zou zijn. Ik was blij dat mijn geheugen zo betrouwbaar was, maar merkte dat ik niet verder kon komen door domweg te zorgen dat ik ter plaatse was.

MEVROUW ROSEN (*na een lange pauze*) Jennifer? Is dat Jennifer?

Ik nam er de tijd voor om de informatie te gebruiken die ik in de portiersloge had gevonden. Het duurde een paar weken voor ik de namen Rosen en Levine in het telefoonboek opzocht om te zien welk nummer ze hadden en weer een tijdje voor ik de telefoon pakte. Ik belde mevrouw Rosen, die, volgens het telefoonboek, inderdaad twee deuren verderop woonde van de flat op de vijfde verdieping waarin ik had gewoond. Als het dezelfde vrouw was, Jonathans moeder – was dat heus mogelijk? –, was ze mijn buurvrouw geweest.

Ik stelde mezelf voor als Jenny Diski en legde uit wie mijn ouders waren geweest en in welke flat we hadden gewoond. Vervolgens stelde ik mezelf in de stilte opnieuw voor. 'Jenny Diski – Jenny Simmonds, ik heb vroeger met Jonathan gespeeld. U bent toch de moeder van Jonathan?'

Toen zei ze 'Jennifer' en voelde ik me raar licht in mijn hoofd worden. Ik zei bijna nee, omdat ik mezelf niet in die naam herkende. Maar als klein kind was ik Jennifer geweest, hoewel ik me met de beste wil van de wereld slechts kon herinneren dat ik Jenny was. Ik zei ja, maar voelde me een bedrieger, wat merkwaardig was, aangezien ik het nooit echt prettig vind om Jenny te worden genoemd. 'Diski' voelt veel meer als mezelf aan, hoewel het een volledig verzonnen naam is die Roger-de-Ex en ik in een opwelling bij ons huwelijk hebben aangenomen. Haar adem stokte en het was even stil.

'Hoe gaat het met je?'

Ik was elf geweest toen ze me voor het laatst had gezien, maar wat moet je anders zeggen?

'Het gaat goed met me, dank u.'

Ik legde uit dat ik tegenwoordig schrijfster was en dat ik overwoog een deel van een boek aan mijn moeder te wijden, maar dat ik niemand kende die ons had gekend toen we als gezin in Paramount Court hadden gewoond en of ik een keer met haar kon komen praten, om zeg maar de kijk van een buitenstaander te krijgen op wat er was gebeurd.

'Jonathan en jij gingen naar dezelfde school. Je moeder en ik brachten jullie er op de eerste dag naar toe, toen jullie nog maar vier waren. Je ging heel blij naar binnen. Ze huilde toen je weg was. We zijn samen een kop koffie gaan drinken.'

Mijn moeder huilde. Goeie genade, ze hield echt van me. Aan de andere kant zou ze alleen zijn als ik naar school was. Ze huilde waarschijnlijk om zichzelf. Stel dat maar uit tot later.

'Mevrouw Levine en mevrouw Gold wonen hier nog steeds. Herinner je je Helen Levine en Marianne Gold nog, met wie je vroeger speelde? Je zegt dat je schrijfster bent? Dan gaat het dus goed met je?'

'Ja. Ik zou echt graag een keer met u over mijn ouders komen praten.'

Er volgde een opgelaten stilte. Ik hield van de klank van haar stem. Londens joods, met ouders die een vreemde taal hadden gesproken, opgegroeid in East End. Ze klonk op haar hoede en nadenkend; je hoorde dat ze zich van alles herinnerde en zich beraadde over wat ze zich herinnerde.

'Nou, we waren natuurlijk met je moeder bevriend. Maar... ik ben bang dat je geen erg gelukkige jeugd hebt gehad.' Dat laatste werd aarzelend gezegd, vertelde me dat er volgens haar dingen waren die ik maar beter niet kon weten.

'Nee, het was nogal een puinhoop, hè?'

'O, dat weet je dus nog? Het was vreselijk voor je. Ik dacht dat je het wel zou zijn vergeten. Nou, in dat geval...'

Ik bevestigde opnieuw dat ik wilde weten wat er volgens haar, als volwassen tijdgenoot, was gebeurd en dat ik volstrekt niet overgevoelig was voor wat ze me te vertellen had. Dat leek haar aan te moedigen en we spraken een datum af, een paar dagen later, waarop ik thee bij haar zou gaan drinken.

Ik was van de wijs gebracht door mevrouw Rosens oprechte verbazing dat ik me nog herinnerde dat ik bepaald geen traditioneel gelukkige jeugd had gehad. Aanvankelijk vroeg ik me af of het idee van het foutieve-geheugensyndroom verder in het algemeen bewustzijn was doorgedrongen dan ik had aangenomen. Waarom zou ik niet meer weten wat zij zich kennelijk wel herinnerde? Omdat ik het niet kon verdragen om me dat te herinneren, zou de postfreudiaanse veronderstelling luiden. Maar de oorsprong van haar verbazing was eerder het prefreudiaanse idee dat kinderen eigenlijk geen bewuste wezens zijn. Een geruststellende gedachte voor ouders die er iets mee kunnen. Wat vreemd dat het moderne idee van het verdrongen-geheugensyndroom aansluit bij die meer archaïsche formulering over de kindertijd. Wat de pre- en postfreudianen gemeen hebben, is het verlangen te geloven dat kinderen hun ongelukkige ervaringen verdringen. Die spoelen over hen heen of stromen onder hen door. Kies maar uit. Duidelijk weten wat er is gebeurd, behoort in geen van beide gevallen tot de mogelijkheden.

De knetterende ruzies van mijn ouders in onze tweekamerflat op de derde verdieping die door de gangen van Paramount Court schalden, mijn vader die ons diverse keren heeft verlaten, mijn moeder die op een brancard naar een ziekenhuis werd afgevoerd en de meubelen en toebehoren die door schuldeisers in beslag werden genomen toen we op de vijfde verdieping woonden, dat waren allemaal openbare gebeurtenissen geweest, maar op een of andere manier werd er verondersteld dat ik me er niets van zou herinneren. Volwassenen ervaren dingen, kinderen niet. Toen kwam Freud, die meldde dat zelfs een onbewust kind van alles kan ervaren, maar het begrip verdringing bleef overheersen. Ze herinneren het zich wel, maar ze weten niet dat ze het zich herinneren. Kinderen en hun ervaringen zijn nog steeds van elkaar gescheiden. De ouders kunnen in beide gevallen aan hun verantwoordelijkheid ontkomen, in het eerste geval hun leven lang, in het tweede geval tot hun nageslacht bij de psychiater op de divan gaat liggen. Dan haalt de nieuwe, betaalde 'ouder' het allemaal weer voor hen terug in doorvoelde beelden en is alles weer in orde. Ik herinner me dat mijn vader en moeder klaagden over mijn aanvankelijk nerveuze en later dwarse gedrag, alsof alles wat er tussen hen voorviel, niets met mij te maken had. 'Waarom ben je zo?' wilden ze weten, woedend en oprecht verbijsterd dat ik zo lastig was. 'O, dat weet je dus nog?' zei mevrouw Rosen.

Ach, ik wist nog van alles, ook dingen die je voor je volwassen persoonlijkheid verborgen zou moeten houden, maar het ontbrak me aan bevestiging en achtergrond. Mijn ouders vertelden geen van beiden duidelijke verhalen over zichzelf; het meeste dat ik van hen wist – in tegenstelling tot wat zich naar ik wíst tussen hen afspeelde –, was afkomstig uit uitbarstingen die pijn moesten doen of een slechte daad moesten wreken: 'Nu zal ik je de waarheid vertellen...' De waarheid was altijd onaangenaam en ging over de andere ouder, haalde altijd een eerder verhullend verhaal onderuit en werd verteld als een openbaring, om me inzicht te geven in de ware aard van het monster dat een van mijn ouders was. De waarheid was gevaarlijk; de waarheid was giftig. Bij de zin 'Nu zal ik je de waarheid vertellen...' kromp ik in elkaar in de wetenschap dat er iets zou worden gezegd wat nooit meer ongezegd kon worden gemaakt en in mijn hoofd zou blijven voortleven, of ik dat nu wilde of niet. Ik leerde begrijpen dat mijn ouders geen van beiden de waarheid over zichzelf vertelden, alleen over de ander, en dat de waarheid nooit iets was om je op te verheugen. Ik denk dat ik de waarheid daardoor nooit erg heb gerespecteerd. Die kwam en ging met hun emoties en vertelde uiteindelijk slechts een nieuw, ander verhaal dan het vorige verhaal.

De wáárheid luidde, vertelde ze me, dat mijn vader, toen ik nog heel klein was geweest, in de gevangenis had gezeten en dat mijn moeder dat feit had verzwegen om te zorgen dat ik hem niet minder zou respecteren. De wáárheid luidde, meldde ze, dat mijn vaders zoon uit zijn eerste huwelijk niet was omgekomen, zoals ze me eerder had verteld, toen hij op weg van school naar huis uit de bus was gestapt en door een achteropkomende bus was overreden, maar dat hij tijdens een ruzie tussen zijn ouders het huis uit was gerend en onder een naderende bus was gekomen. De wáárheid luidde, verklaarde ze, dat mijn vader mijn moeder en mij tot diep in de nacht alleen had gelaten, zelfs toen ik ziek was geweest, omdat hij met een of andere vrouw scharrelde. De wáárheid, de waarheid die ze voor me verborgen had gehouden maar nu zou onthullen, luidde dat mijn vader niet van me hield, zoals hij zei, maar dat hij een klootzak, een oplichter en een lafaard was.

De wáárheid luidde, vertelde mijn vader me, dat mijn moeder helemaal geen zenuwinzinking had gehad toen ze na zijn vertrek de flat uit was gedragen, maar alleen maar had gedaan alsof, om aandacht te trekken en te zorgen dat mijn vader bij haar terugkwam. De wáárheid luidde, meldde hij, dat haar eerste man bij zijn terugkeer uit de oorlog mijn vader dankbaar was geweest omdat die hem van mijn moeder had verlost. De wáárheid luidde, zei hij, dat mijn moeder dronk en gokte en geen andere interesse had dan het uitgeven van geld. De wáárheid luidde, onthulde hij, dat ze met alle geweld bewusteloos had willen zijn toen ze van mij was bevallen, dat ze geweigerd had om me aan te raken of te verschonen en dat mijn vader dat had moeten doen. De wáárheid luidde, hield hij me voor, dat mijn moeder de voogdij over mij slechts als list had opgeëist, om regelmatig alimentatie te krijgen, en dat ze hem voor de zitting een schikking had aangeboden, waarbij hij mij had kunnen krijgen als zij vijf pond per week kreeg. De wáárheid luidde, maakte hij bekend, dat, voor ik op mijn twaalfde bij mijn vader was gaan wonen mijn moeder en Pam, de vrouw met wie mijn vader samenwoonde, met elkaar hadden afgesproken dat Pam me op zo'n manier zou behandelen dat ik er ongelukkig zou zijn en naar mijn moeder terug zou willen.

Tussen zijn waarheden over haar en haar waarheden over hem waren er hun waarheden over mij. Die hadden er meestal mee te maken dat ik gevaarlijk veel op haar leek (volgens hem) of gevaarlijk veel op hem leek (volgens haar). Gek, slecht, ontaard, harteloos, lui, hard, ongedisciplineerd, asociaal, egocentrisch. Soms woedden hun ruzies als in een opera boven mijn hoofd tot ze ineens op me neerdaalden om me er plotsklaps bij te betrekken. *En hoe zit het met jou?* Ik zat daar gewoon te luisteren; het kon me niets schelen; ik vond het grappig; ik stond aan zijn kant; ik stond aan haar kant. AAN WIENS KANT STOND IK EIGENLIJK? Uiteindelijk dook die vraag op, die hen tot elkaar leek te brengen. Dan keerden ze zich allebei naar mij en keken me aan in de oprechte verwachting dat ik zou antwoorden. De ene keer speelde ik voor rechtertje en zei ik welke redenering me juist leek; de andere keer mompelde ik dat ik het niet wist en soms bleef ik gewoon stom. Het deed er echter niet toe of en wat ik antwoordde, de hel brak hoe dan ook voor me los.

Dat was allemaal de 'waarheid'. De waarheid, zo leerde ik, lag voor het grijpen en was volkomen afhankelijk van wie er sprak. De waarheid was iets wat stiekem in je achterhoofd gebeurde en er als een ontploffende rioolbuis uit te voorschijn kwam wanneer er genoeg woede of angst was om zo'n explosie te veroorzaken. Twee dingen heb ik daarvan geleerd: wees zeer op je hoede voor de waarheid en probeer nauwlettend te volgen wat er in je achterhoofd gebeurt. Blijf in de gaten houden wat daar zit; laat het niet in donkere hoekjes doorsijpelen en onzichtbaar op de loer liggen tot je er onverhoeds door wordt overvallen. Weet wat je weet. En probeer te weten wat anderen weten; hou hun donkere hoekjes ook in de gaten, hoe weerzinwekkend en onwaarschijnlijk ze ook zijn. Het is een soort pantser tegen het rapier van woorden. Zorg dat je nooit wordt verrast.

Inmiddels ben je de chronologische volgorde misschien een beetje kwijt. Dat is geen wonder, want er gebeurde van alles in mijn jeugd en puberteit. Soms weet ik zelf niet meer precies wat wanneer is gebeurd. Hoe zou jij het dan moeten weten? Een zekere mate van verwarring is onvermijdelijk, maar ik zal je een korte chronologie geven.

Vanaf mijn geboorte tot mijn zesde of zevende heb ik met mijn ouders op de derde verdieping van Paramount Close gewoond. Toen ik een jaar of zes was en geld een probleem was geworden, liep mijn vader weg. Hij was al eerder weggelopen, maar deze keer was het kennelijk definitiever. Mijn moeder kreeg een zenuwinstorting, werd in een psychiatrische inrichting opgenomen en ik werd twee à drie maanden bij een pleeggezin ondergebracht. Mijn vader kwam weer terug en toen mijn moeder werd ontslagen, verhuisden we naar de vijfde verdieping, waar ik een eigen kamer kreeg. Geld was in die tijd inmiddels een doorlopend probleem. Toen ik elf was en bijna van de lagere school kwam, ging mijn vader opnieuw weg, nu voorgoed. Hij verdween en stuurde ook geen geld. De deurwaarders kwamen de flat leeghalen en terwijl we zaten te wachten tot we eruit zouden worden gezet, draaide ik door en weigerde ik nog naar school te gaan. Toen de maatschappelijk werkers kwamen kijken wat er met me was gebeurd, regelden ze een uitkering en een kamer in Mornington Crescent voor mijn moeder en stuurden ze mij naar de progressieve kostschool in Letchworth.

Ik ben daar ongeveer twee semesters geweest en toen weggegaan om bij mijn moeder te gaan wonen, die zonder veel succes als huishoudster werkte in een chic huis in Hampstead Garden Suburb, waar ik naar een middelbare school in de buurt ging. Mijn moeder ging er weg of werd ontslagen en we dwaalden door Noord-Londen, terwijl we van het restant van haar salaris een tijdje in pensions verbleven. Ten slotte zocht ik op mijn twaalfde, zonder het tegen mijn moeder te zeggen, contact met mijn vader, die ondanks zijn 'verdwijning' nog steeds op dezelfde plek bleek te werken als toen hij bij ons had gewoond. Ik liep weg en bleef bij hem en Pam, de vrouw met wie hij tot aan zijn dood heeft samengewoond. Twee keer zijn hij en ik bij haar weggegaan om samen in een flat te gaan wonen, een keer in Bristol, later weer in Londen, en als zijn romance van dat moment stukliep, gingen we weer terug naar Pam. Mijn moeder ging in Hove wonen. Ik vroeg de maatschappelijk werkers me terug te sturen naar de kostschool. Ik was bijna dertien. Anderhalf jaar later, toen ik bijna vijftien was, werd ik van school gestuurd. Onhandelbaar. Mijn vader en Pam waren net naar Banbury verhuisd en ik woonde een paar maanden bij hen terwijl ik in een winkel werkte – omdat ik van school was gestuurd wilde mijn vader me als straf niet meer naar school laten gaan –, tot ik bij hen wegliep en naar mijn moeder in Hove ging. Twee dagen later werd ik voor het eerst opgenomen in een psychiatrische inrichting.

Helpt dat? Misschien niet erg.

Drie opgedofte oudere dames van eind zeventig en begin tachtig zaten in bij elkaar horende witte leren leunstoelen. Ik, achtenveertig jaar oud, deelde de bank met de enig overgebleven echtgenoot. Ze droegen allemaal slippers met sleehakken en truien met felle of goudkleurige patronen. Mevrouw Levine en mevrouw Gold hadden een keurige trainingsbroek aan. Mevrouw Rosen was als gastvrouw iets formeler in een mooie rok. Hun haar was gekapt, gewatergolfd en geföhnd, en ze hadden poeder en lippenstift op. Ze waren geweldig gezond en zelfvoldaan. Deze tachtigjarigen hadden voor vitale mensen van zestig kunnen doorgaan. Theetijd. Rinkelende theelepeltjes, en mevrouw Rosen, onze gastvrouw, sprong op, verlangde dat ik meer cake nam – 'Je hebt maar één plak gehad. Je moet goed eten; je bent te mager' – en schonk opnieuw thee in. Deze vier mensen, vroeger met de twee overleden echtgenoten erbij, zaten al zo met elkaar thee te drinken en te kletsen vanaf het moment dat ze in 1940 in het flatgebouw waren komen wonen. Mijn moeder was er af en toe bij geweest. Pasgetrouwde, jonge, kinderloze echtparen, de mannen in de strijdkrachten, de vrouwen druk in de weer met hun werk en het ontwijken van bommen. Ze waren aan een leven begonnen waarin ze verder hadden willen komen en een goede start hadden willen bieden aan de kinderen die ze zouden krijgen als de oorlog eenmaal voorbij was.

'De bewoners van deze flat bestonden voor negentig procent uit joden,' zei Nathan tegen me.

'Hoe kwam dat?' vroeg ik me af. Dit was Tottenham Court Road, niet East End of Golders Green, waarom deze flat?

'Deze flat had een schuilkelder. Joden weten hoe ze voor zichzelf moeten zorgen,' lachte mevrouw Rosen. 'En dan was er nog de kledingindustrie rondom Great Portland Street; het was een handige plek voor kleermakers.'

En de oorlog? De wetenschap dat de nazi's maar een paar mijl verderop, aan de overkant van het Kanaal, waren? Welke invloed had dat op hun dagelijks leven gehad?

'We voelden ons hier veilig. We waren allemaal net twintig en op die leeftijd maakten we ons daar niet druk om. We gingen gewoon onze gang. Om je de waarheid te zeggen, dachten we er eigenlijk niet over na.'

Aan de joodsheid van onze buren en onszelf had tijdens mijn jeugd geen twijfel bestaan. Bij ons thuis werd er vrijwel niets aan religie gedaan, hoewel mijn moeder in mijn vroege jeugd op vrijdagavond kaarsen had aangestoken en mijn vader me op de laatste avond van Jom Kippoer had meegenomen naar de synagoge in de buurt om te horen hoe er op de ramshoorn werd geblazen. Maar onze joodsheid werd voortdurend herhaald, bleek uit de dagelijkse gesprekken van mijn ouders, met brokken Jiddisch die van hun emigrantenfamilies in East End stamden, uit de vraag of beroemde mensen in het nieuws wel of niet joods waren, en uit wat we aten (gebakken vis op vrijdag, kippensoep met *knedleich*, *bagels*, zure room, *lockschen*-pudding); het joods-zijn zat gewoon in de lucht. Het bleek ook duidelijk in de buitenwereld. Op school zeiden de andere kinderen tegen me dat ik niet Engels maar joods was. Ik werd, maar een paar jaar na de Tweede Wereldoorlog, op het schoolplein verantwoordelijk gehouden voor het doden van Christus. Helen Levine, die merkwaardig genoeg naar een katholieke school vlak bij de flat ging, moest van een van de nonnen naar huis gaan om naar haar moeders voeten te kijken en te zien of die geen duivelse hoeven hadden. Niet lang daarna is ze naar een andere school gegaan. Als jodin kon ik mezelf ook nooit helemaal plaatsen in het Engelse klassensysteem. We behoorden niet tot de middenklasse, niet echt tot de arbeidersklasse; het was ánders. Het is nu veel gemakkelijker om te zien dat we de kinderen van immigranten waren. De overeenkomsten met de tweede en derde generatie van Aziatische families zijn me inmiddels duidelijk. Het gebrek aan cultuur van mijn ouders hield echter niet in dat ze er geen belangstelling voor hadden voor hun dochter. Verder komen, daar ging het om, op elke mogelijke manier. Mijn ouders vonden zelf dat ze zich vanuit hun armoedige jeugd in East End hadden opgewerkt; geld was de sleutel. Ik moest nog verder komen, doordat hun betrekkelijke rijkdom me in staat stelde een goede opleiding te volgen, carrière te maken en een goed huwelijk te sluiten. Ik denk dat het voor alle joodse kinderen in de flat zo was.

Terwijl we op de dag van mijn bezoek thee zaten te drinken, gingen mevrouw Rosen, mevrouw Levine en mevrouw Gold even ongedwongen en vinnig met elkaar om als elke groep mensen die elkaar al ruim vijftig jaar dagelijks treft. Mevrouw Levine sprak minder dan de anderen, maar begon bijna al haar opmerkingen met: 'Ik moest natuurlijk naar mijn werk, dus was ik er overdag niet.' Dat was deels om te benadrukken dat zij, in tegenstelling tot de andere vrouwen, ook na de komst van de kinderen was blijven werken en deels om niet te veel te hoeven weten. Ze herinnerde zich echter een incident dat op een donderdagmiddag, mevrouw Levines vrije middag, had plaatsgevonden. Daardoor kwamen de tongen los.

'Je moeder kwam die middag bij me aan de deur. Er was iemand vreselijk ziek, zei ze, of zoiets dergelijks. Dat weet ik niet meer. Ze kwam naar me toe om te vragen of ik soms zin had om naar de kerk te gaan. Ik zei: "Waarom zou ik naar de kerk willen gaan?" Maar zij is wel gegaan. Naar een kerk op Trafalgar Square.'

Nathan vroeg: 'Waarom niet naar een synagoge?'

'Dat weet ik niet. Ze had een reden om naar de kerk te

gaan. Het was geen religieuze reden, geloof ik. Maar meer weet ik er niet van. Het was mijn vrije middag.'

Toen heeft ze mij dus meegenomen. Ik stond voor South Africa House te wachten terwijl zij in St Martin-in-the-Fields verdween. Ik had geen flauw idee wat ze daar deed en dat heeft ze me ook nooit verteld. Ik heb het als een sleutelscène gebruikt in mijn roman *De dromenmeesteres*. Ik herinner het me nog heel goed – desondanks was het een schok dat het door iemand anders werd bevestigd. Werd bevestigd, maar niet verklaard.

Mijn moeder was een vrouw die vaak onverklaarbare dingen deed. Het is heel goed mogelijk dat zij ook niet wist waarom ze naar een kerk moest gaan, maar slechts aan een dringende opwelling gehoor gaf. Ze had het vaak over God: waarom had hij haar moeder zo jong laten sterven; waarom strafte hij haar met mijn doorslechte vader; waarom hielp hij haar niet? Misschien vond ze dat ze eens een andere god moest proberen. Als de joodse god niet werkte, zou de christelijke dat misschien wel doen. Het proberen waard. Mijn moeders religie sloot aan op haar gevoel van persoonlijk onrecht: een primitief, minimaal geloof dat er ergens iemand voor haar hoorde te zorgen. Ze had nauwelijks enig onderwijs gehad en was niet verstandelijk aangelegd. Ze reageerde op dringende emotionele behoeften zoals een klein kind op zijn lichamelijke verlangens reageert: ogenblikkelijk, zonder na te denken. Naar mijn idee werd ze daarin vrijwel niet gehinderd door de rationele functies van haar voorhersenen. Als ze pijn had, gilde ze en brulde ze en sloeg ze om zich heen, en toen ik haar kende, had ze heel vaak pijn op het emotionele vlak, leed ze aan een totale teleurstelling over hoe haar leven was verlopen. Haar reacties waren angstaanjagend doordat de meeste ogenschijnlijk onbeduidende te-

genslagen in haar ogen catastrofaal waren en ze dienover-
eenkomstig reageerde. Haar bitterheid en gebrek aan zelfbeheersing maakten me bang en meer dan dat, maar ik geloof
niet dat er sprake was van opzettelijke boosaardigheid. Volgens mij dacht ze niet genoeg na over wat ze deed, waardoor
boosaardigheid nooit bewust aanwezig kon zijn. Ze sloeg
om zich heen, liet haar gevoelens de vrije loop en kon niet
anders. Ze was eerder zielig dan slecht en, naar mijn mening, oprecht verbijsterd doordat ze haar leven niet onder
controle had. Door haar eigen emotioneel misdeelde opvoeding had ze zo weinig inzicht dat ze niet verantwoordelijk
kon worden gehouden voor de gevolgen van haar gedrag.
Daardoor is er voor mij weinig ruimte voor woede tegen
haar persoonlijk. Het leek op schaatsen over pasgevormd ijs
om dag in, dag uit met haar te moeten leven. Het brak doorlopend, elke dag opnieuw, maar er was geen alternatief, geen
andere plek waar ik naar toe kon. Geen ruimte voor woede,
maar ook geen ruimte voor genegenheid. Ze zei, schreeuwde vaak tegen me dat iedereen zijn moeder nodig had. Dat
ik haar op een dag nodig zou hebben als ze er niet zou zijn en
dat ik dan zou beseffen... Ik had zonder meer behoefte aan
van alles en nog wat, maar niet aan haar, ook al was ze mijn
moeder. Ik kan me niet herinneren dat ik ooit heb gewenst
dat ze er was. Wanneer ik aan haar denk in haar rol van mijn
moeder kan ik slechts mijn schouders ophalen met een gevoel van toevallige pech dat ik was toevertrouwd aan een
vrouw met het emotionele vermogen van een klein kind.
Gewoon jammer, pech, de regelingen voor de opvoeding
van menselijke kinderen zijn volstrekt willekeurig. Je kunt
net zo goed woedend op het ijs zijn omdat het te zwak is om
je gewicht te houden.

Mevrouw Gold vond het duidelijk niet prettig om over het hoofd te worden gezien en zou niet achterblijven bij de herinneringen van mevrouw Levine.

'Ik kan je nog heel iets anders vertellen,' kwam mevrouw Gold gretig tussenbeide. 'Je vader had een kamer in Albany Street. Dat wist je niet, hè? Hij was een charmeur. Maar hij was een oplichter.'

Mevrouw Levine keek een beetje geschrokken. 'Vindt ze dat niet erg?' vroeg ze aan mevrouw Rosen, waarmee ze mij bedoelde.

'Nee,' legde mevrouw Rosen uit. 'Ze wil het weten. Dat heeft ze gezegd.'

'Nou, Jimmy was een oplichter,' ging mevrouw Gold verder. 'Hij had die kamer in Albany Street, boven de vrouw die gordijnen maakte – hoe heette ze ook alweer?'

De drie vrouwen stortten zich even opgewonden in hun herinneringen.

'O, ik weet het,' zei mevrouw Levine, 'Claire, Stella...'

'Nou ja,' zei mevrouw Gold. 'Daar heeft hij heel wat mensen opgelicht. Hij liet geld opsturen. Hij verzond brieven. Hij gebruikte de kamer als postadres. En die vrouw is heel rijk geworden; ze had een gordijnenzaak in Vivian Avenue.'

'Ik heb haar hier laten komen voor een prijsopgave voor gordijnen,' herinnerde mevrouw Rosen zich.

'Precies. En Jimmy is gedagvaard wegens overspel toen hij in Paramount Court woonde.'

Het werd niet duidelijk of dat was gebeurd bij de scheiding van de gordijnenvrouw of een van de vrouwen die hij in ruil voor romantiek geld afperste. Zo waren alle herinneringen: tegelijkertijd scherp en vaag. De oude vrouwen herinnerden zich wat ze zich herinnerden, maar beweerden de details niet te kennen doordat ze nooit vragen hadden gesteld, zich niet hadden willen bemoeien met de zaken van een ander gezin. Zodoende wisten ze dat hij een kamer in Albany Street had gehad en dat hij een beroepszwendelaar was geweest, maar wisten ze niet precies wat hij had uitgespookt en hadden ze geen idee waarom hij in de gevangenis had gezeten, hoewel het in die tijd opmerkelijk moet zijn geweest om een gezin in de flat te hebben waarvan de vader in de gevangenis zat.

Ik wist dat mijn vader als zwarthandelaar en rokkenjager een soort schurk was geweest. Ik wist niet dat hij een beroepszwendelaar was geweest, met kantoor en al. Dat was weliswaar geen volstrekt nieuwe informatie, maar verlegde het accent.

'Is hij gepakt?' vroeg ik.

'Ik herinner me dat hij in de gevangenis heeft gezeten, maar ik kan je niet zeggen waarom; ik weet alleen dat er achter je moeders rug werd gefluisterd dat het met die brieven te maken had. Je moet nog heel klein zijn geweest, een jaar of drie. Kort daarna heeft die tragedie plaatsgevonden.' Mevrouw Gold was flink op dreef. 'Misschien was het voor hij naar de gevangenis ging, omdat hij wist dat hij zou worden gepakt. Of daarna. Dat weet ik niet meer, maar hij kwam op een morgen onze winkel in Great Portland Street binnen en vroeg mijn man of hij meeging naar de paardenrennen. Ik zei: "Waarom zou hij plotseling met jou naar de paardenrennen willen gaan, terwijl je zomaar op een werkdag komt binnenvallen?" Mijn man zei dat hij de winkel niet in de steek kon laten. Toen is hij naar Epping Forest gegaan, maar hij is gered.'

'Hè?' zei ik.

'Ze hebben hem in Epping Forest in zijn auto gevonden, met de uitlaat. Weet je nog wel?'

'Dat is natuurlijk niet de enige keer geweest,' voegde mevrouw Rosen eraan toe. 'Hij heeft het nog eens geprobeerd. Toen je op St David's zat, je eerste school. Ik ging naar beneden om te zien of je die dag naar school zou gaan en je moeder was een beetje van streek. Je was met Sally Leigh, God hebbe haar ziel, naar Southend of zo. Het was een bijzonder warme dag. En je bent teruggekomen.'

'Het was erg warm in de zon, hè?' merkte mevrouw Gold vrolijk op.

'En de dag daarna, weer in de auto, met de uitlaat. Toen heeft hij het nog eens geprobeerd. Ik weet niet waar.'

Ik herinner me dat er eens een politieagent aan de deur is geweest om mijn moeder te vertellen dat mijn vader in zijn auto was gevonden met een slang aan de uitlaat die via het raampje naar binnen was geleid. Ik wist niet dat hij er een gewoonte van had gemaakt.

In een opwelling vroeg ik: 'Heeft mijn moeder ooit een zelfmoordpoging gedaan?'

'Niet dat ik weet,' zei de aardige mevrouw Rosen nogal vlug.

'Volgens mij wel,' verbeterde mevrouw Gold haar. 'Dat heeft ze wel gedaan. Een overdosis. Hoe oud was je toen? Vijf, denk ik.'

Ik spoel deze familiegeschiedenis van sociale misdaden en meerdere zelfmoordpogingen met mijn tweede kop thee weg. Mevrouw Rosen wil nog steeds dat ik een tweede plak cake neem. Maar ik heb een kleine maag.

Hoewel ik, een tikje laatdunkend, niet boos kan zijn op mijn moeders tekortkomingen omdat ze niet beter wist, heb ik altijd een gezonde woede tegen mijn vader gekoesterd. Hij kwam uit een arm, maar hecht gezin. Hij had enig onderwijs genoten. Hij was een intelligente jongen die een beurs had gekregen voor een gesubsidieerde school in East End. Hij beweerde zelf – geen betrouwbare bron – dat hij ooit aan zijn propedeuse in Cambridge was begonnen, maar dat hij er in zijn tweede semester mee was gestopt om geld te gaan verdienen. Hoe dat ook zij, hij ging in elk geval prat op zijn intelligentie. Dat hadden hij en ik gemeen; daardoor stond mijn moeder ernaast. Wij waren intelligent; zij niet. 'Laat maar,' zei hij als ze mokte of schreeuwde. 'Mamma begrijpt het niet.' Hij had niet haar excuus voor zijn gedrag. Het begon er echter naar uit te zien dat ze meer op elkaar leken dan ik had gedacht. Dat haar hysterie werd geëvenaard door de zijne en dat intellectuele vermogens en een fatsoenlijke opleiding geen bescherming boden tegen emotionele onbetrouwbaarheid. Twee kleine kinderen als ouders. Een aan elkaar gewaagd stel. Dubbele pech.

'Weet u waarom hij er een eind aan heeft willen maken?' vroeg ik. Mijn moeders zelfmoordpogingen hadden om een of andere reden geen motief nodig.

'Ik denk dat het frustratie was,' opperde mevrouw Rosen.

'Nee, het had alles te maken met die brieven die hij verstuurde.'

'En gokken. Hij wilde altijd een kansje wagen; hij hield van gokken.'

'Hij was wanhopig.'

'Wanhopig.'

'Hij had de hoop opgegeven.'

'Zo treurig, zo treurig.'

'Heel treurig.'

'Vreselijk. Haar moeder was een knap vrouwtje, dat weet ik nog wel. Ze had een leuk gezicht.'

'Een leuke glimlach.'

'En heel keurig voordat ze, je weet wel... En je had de mooiste kleren voordat...'

'Hij had een enorme bos zilver haar,' herinnerde mevrouw Gold zich. 'Hij was zo knap. En charmant.'

'Bijzonder charmant. Een echte heer.'

'Hij had iets,' kirde mevrouw Gold.

De drie oude dames werden helemaal lyrisch over mijn vaders charmes.

'Het was zo'n heer,' herinnerde mevrouw Levine zich. 'Hij zou ervoor zorgen dat mijn Anthony op de City of London-school kwam. Hij kon goed opschieten met de burgemeester van Londen. Hij zei tegen mijn man: "Ik zal zorgen dat je zoon op de City of London komt." En Jimmy, God hebbe zijn ziel, kwam naar ons toe, ging zitten en schreef een brief. We hadden een brief... Ik moet eens kijken of ik die nog kan vinden...'

'Denkt u dat mijn vader misschien dingen beloofde die hij niet waar kon maken?' vroeg ik me af.

'Maar het stond zwart op wit. Voor ons, voor mijn man en mij, leek het echt. Volkomen echt. Hij wist je voor zich in te nemen. Het was een charmeur.'

'Ja, dat weet ik,' zei ik. 'Maar ik geloof niet dat hij bijzonder eerlijk was. Heeft hij ervoor gezorgd dat Anthony op de City of London kwam?'

'Nou, toen was hij inmiddels vertrokken, maar ik weet zeker dat als hij er was geweest... Ik weet zeker dat het echt was.'

'Hij wist je voor zich in te nemen.'

'Een bijzonder knappe man. Heel galant.'

'En zo keurig. Hij kon zo mooi praten, was zo welverzorgd.'

'Hoe is je moeder toch aan hem gekomen?' vroeg mevrouw Gold zich venijnig af, met een enigszins bitse klank in haar stem.

'Hij kon alles van iedereen gedaan krijgen. Door zijn persoonlijkheid. Door de manier waarop hij praatte, moest je wel naar hem luisteren.'

'Iedereen was erin getrapt,' voegde Nathan Rosen er rustig aan toe.

'Hij had persoonlijkheid, hè? Zodra je met hem praatte, had je het gevoel dat je hem al je hele leven kende.'

'Hij was heel gul. Stak altijd als eerste zijn hand in zijn zak. Je moest wel van hem houden.'

'Misschien te veel,' zei Nathan opnieuw rustig, waarmee hij de lofzang beëindigde.

Na een moment van rust vroeg mevrouw Rosen aarzelend, met een zachte stem: 'Vertel me eens, heeft hij zich ooit aan je vergrepen, je vader?'

Dat was schokkend, in die kamer vol respectabele, oudere mensen voor wie discretie en fatsoen de sleutels tot tevredenheid waren. Het was opmerkelijk dat de fijngevoelige, zorgzame mevrouw Rosen deze gedachte had kunnen uitspreken temidden van de porseleinen beeldjes en de vakkundig genomen foto's in haar onberispelijke woonkamer. In de stilte die op mijn antwoord wachtte, besefte ik ten volle dat het woord 'zich vergrijpen' een ontwijkend, modern eufemisme was geworden, veelzeggend maar vaag, een verklaring van iets schokkends zonder dat er iets schokkends werd gezégd. Even doeltreffend als de Victoriaanse gewoonte om tafelpoten te verbergen, verhullend maar verwijzend naar het opwindend vulgaire, terwijl het onuitgesproken woord 'incest' in de keel kriebelde. Het leek op een strikvraag, die zorgvuldig moest worden gedefinieerd, want dit gezelschap zou geen al te openhartig antwoord willen hebben.

Wat door me heen flitste toen ik overwoog wat ik moest zeggen, waren de nachten, talloze nachten, waarin mijn blote moeder – mijn ouders sliepen allebei bloot – mijn kamer binnenkwam in de flat op de vijfde verdieping, twee deuren van de plek waar ik op dat moment zat thee te drinken, om me wakker te schudden met de mededeling dat ik maar bij mijn vader moest gaan slapen omdat zij niet met hem in één bed wou liggen. Daarop strompelde ik mijn bed uit en terwijl zij in het mijne kroop, liep ik naar de slaapkamer van mijn ouders en klauterde in het grote tweepersoonsbed, waarin mijn vader lag. Dan sloeg hij zijn armen om me heen, hield me tegen zijn harige borst en wiegde me, vermoedelijk tot troost van ons allebei. En tot genoegen van ons allebei. In elk geval van mij, want als ik me tegen zijn harige borst nestelde en me stijf tegen zijn kloppende hart drukte, vond ik dat zijn warme lichaam heerlijk aanvoelde en rook. Ik genoot ervan om in zijn armen te liggen en te voelen hoe zijn grote handen me streelden. Waar streelden? Overal, geloof ik. Ik zoog zijn lichamelijke genegenheid als teugen van een kostelijke drank in me op. En ik kan me alleen herinneren dat ik me veilig en bemind voelde tijdens deze intieme, middernachtelijke vertroosting.

In mijn vroege jeugd was er een spelletje dat allebei mijn ouders speelden als alles koek en ei tussen hen was. Na mijn avondbad droogde ik me meestal in de woonkamer af en dan rende ik bloot tussen hen heen en weer, terwijl zij, een aan elke kant van de kamer, naar mijn vagina grepen om me daar te kietelen. Als ze me te pakken kregen, met hun vingers op mijn schaamlippen, gilde en krijste ik en wrong ik me in allerlei bochten door de tweeslachtige kwelling van het kietelen, en het spel ging door tot ik uitgeput was en zij slap van het lachen waren. Dat was onze manier van pret hebben en dat hadden we zo zelden dat die gelegenheden in mijn herinnering in een gouden waas zijn gehuld. Achteraf zie ik duidelijk hoezeer ik als geleider tussen hen fungeerde, in goede en slechte tijden, een bliksemafleider voor hun opwinding en ellende. Alle gevoelens die ze wel tot uitdrukking maar nauwelijks onder woorden konden brengen, werden via mij geleid. Ik neem aan dat ze naar beste vermogen met elkaar communiceerden wanneer ze mij tussen hen heen en weer lieten springen terwijl ze naar mijn geslacht grepen. Maar die donkere nachten in bed met mijn vader leken een intieme uitwisseling tussen ons tweeën. Dat was natuurlijk niet zo; dat was gewoon de misvatting van een kind dat zichzelf als het centrum van het universum ziet. Als ik van mijn moeder bij mijn vader moest gaan slapen, dacht ik als kind dat ze in bed weer ruzie hadden gehad, maar het is aannemelijker dat mijn moeder – of mijn vader – geen seks had willen hebben en erop stond dat ik haar plaats innam. Hetzelfde patroon als bij het spelletje in de huiskamer.

Pas later, op mijn veertiende, toen er een gevoel van seksuele privacy ontstond, stemde mijn reactie overeen met wat nu juist wordt gevonden. Ik was weggelopen uit Banbury, bij mijn vader en Pam vandaan, en naar mijn moeder gegaan, die op een kamer in Hove woonde. De avond na mijn komst lag ik opgerold met mijn rug naar haar toe toen ze onder het dek kroop van het kleine bed dat we moesten delen. Ik sliep niet, maar dat wist ze niet. Ze liet een hand om mijn bekken en tussen mijn benen glijden en begon me te strelen. Ik voelde me diep vernederd.

'Laat dat,' snauwde ik.

'Dat mag best,' zei ze. 'Je bent mijn kleine meid. Mijn baby. Het is niet verkeerd als mamma haar kleine baby aanraakt.'

'Hou op,' schreeuwde ik vreselijk opgelaten en rukte me los. Met een geïrriteerd geluidje draaide ze me op de bekende mokkende manier haar rug toe. Ik kon die nacht niet slapen. We hadden de hele volgende dag ruzie over de vraag waar ik zou gaan wonen en 's avonds nam ik een handvol Nembutal in die ik in haar la had gevonden. De volgende dag lag ik in de psychiatrische inrichting in Hove en zagen mijn vader en moeder elkaar voor het eerst sinds jaren boven mijn ziekenhuisbed terug, terwijl ze allebei tegen me schreeuwden: 'Hoe heb je me dit kunnen aandoen?' Ik lag ertussenin, trok de dekens over mijn hoofd en begon te gillen.

'Bedoelt u of hij me weleens heeft geslagen?' vroeg ik behoedzaam aan mevrouw Rosen.

'Ja,' zei ze met een meelevende blik. 'Ik weet dat hij je moeder sloeg. Heeft hij ooit een hand tegen jou opgeheven?'

'Ze gaven me allebei weleens een tik. En als ze woedend waren, kreeg ik een klap in mijn gezicht, maar dat stelde niet veel voor. Niets bijzonders,' verzekerde ik haar.

De hartelijke mevrouw Rosen keek oprecht opgelucht.

Er zijn geen foto's van mijn moeder of mij van voor mijn elfde. Toen mijn vader voor de laatste keer was weggegaan – het geld was al tijden op en we konden elk moment uit Paramount Court worden gezet –, nam mijn moeder de wasdoos met oude foto's en het blauwe album – voor mijn geboorte van mijn ouders, van mijn geboorte tot op dat moment van mij – en gaf ze aan Bill de Stoker. Hij werkte in de stookruimte in de ingewanden van het gebouw, stookte de vuren die zorgden dat het centraal verwarmde water van de verwarming door de buizen werd gepompt. Ik ging weleens bij Bill langs om te kijken hoe hij werkte. Om een of andere reden vertrouwde mijn moeder hem onze foto's toe met de woorden dat ze zouden worden opgehaald als er iets was geregeld.

Verder was er niet veel; de meubelen en tapijten waren evenals mijn boeken en speelgoed verdwenen, meegenomen door de deurwaarders vanwege de onbetaalde rekeningen, en we leefden al wekenlang van aardappelen die waren gebakken in onze voorraad kippenvet. Mijn moeder wilde niet dat de andere mensen in de flat, de Rosens, Golds en Levines, van onze schandelijke en hachelijke situatie wisten. We liepen op onze kousen op de kale vloerplanken, voor het geval onze benedenburen zouden vermoeden dat we geen vloerbedekking meer hadden, en ik kreeg de opdracht heel normaal te doen als ik een van hen in de gang of op straat tegenkwam en de andere kinderen te mijden. Op het gebied van de aandenkens hadden we alleen nog maar de wasdoos met foto's, die ik graag op de vloer uitspreidde om ze nauwkeurig te bekijken, en een in blauw leer gebonden fotoalbum, dat vanaf mijn geboorte aan mij was gewijd. Er was nog een album geweest, een kastanjebruin album met foto's van Stanley, mijn vaders overleden zoon uit zijn eerste huwelijk, dat op het mijne had gelegen. Dat had mijn vader bij zijn vertrek met zich meegenomen.

Een paar jaar later, toen ik zestien was en in de buurt werkte, in een kantoor in Goodge Street, raapte ik al mijn moed bij elkaar en belde de portiersloge van Paramount Court – maar met weinig hoop, want de vijf jaar die waren verstreken sinds de foto's aan Bill in bewaring waren gegeven, leken voor mij eeuwen. Ik zei wie ik was en de portier zei met een veelbetekenende stem dat hij zich die familie inderdaad nog herinnerde. Dat gold natuurlijk voor iedereen die er nog werkte. Maar Bill de Stoker was er allang niet meer. Hij wist niet waar Bill was en hij wist niets van foto's af. Toen niemand ze was komen ophalen, zou Bill ze wel hebben verbrand, zei hij zonder enige boosaardigheid. Dat zal wel. Ze hadden hem niets gezegd.

Ik treurde, en treur nog steeds, over het verlies van die foto's. Ik herinner me prachtige kiekjes van mijn vader en moeder uit de oorlog, hun goede tijd, waarop ze in avondkleding in nachtclubs te zien zijn. Net iets uit een film. Op één foto zat mijn moeder in een korte broek op een trapje bij een strand en naast haar stond een lachende Douglas Fairbanks Jr., een filmster, zoals mijn moeder had uitgelegd, met wie ze in de vette jaren, tijdens een vakantie in Zuid-Frankrijk, bevriend was geraakt. Iets in de manier waarop ze dat zei, suggereerde dat ze heel intiem met hem was geweest, maar misschien was haar weemoed louter de droomwens van een teleurgestelde vrouw. Er waren foto's van mij als baby, in feestjurkjes, met witte sokjes en handschoentjes, van mij in de dierentuin, schaatsend, dansend – de gebruikelijke kinderfoto's, maar ze staan me niet meer helder voor de geest. Ik neem aan dat ze veel leken op de foto's waarop Chloe's ontwikkeling van baby tot jonge vrouw te zien is, die samen enkele albums vullen en de gangmuur van mijn flat bedekken. Die foto's zijn bijna allemaal gemaakt door haar vader, een verwoed fotograaf. Ik gebruik vrijwel nooit een fototoestel, heb er niet eens een, maar ik heb er angstvallig voor gezorgd dat ik van Roger afdrukken van de foto's van Chloe kreeg, die ik in de albums heb geplakt tot Chloe de taak zelf overnam. Er is altijd een zekere troost uitgegaan van de gedachte dat er twee series foto's van Chloe's leven zijn, een in het huis van haar vader en een in het mijne. Een van de voordelen van een minzame scheiding. Een extra beveiliging tegen een toevallig verlies. Wat er ook met Jennifer mag zijn gebeurd, er is geen fotografisch bewijs voor; er zijn alleen de onbetrouwbare kiekjes uit het geheugen die voor het verleden dienst moeten doen.

Op zee

Drie dagen bleken lang genoeg te zijn om de vaste regelmaat van een instelling te laten ontstaan. De tweede dag bevonden we ons al op een drijvende kostschool of in een varend ziekenhuis; ik neigde uiteraard vooral naar het beeld van het ziekenhuis. Het was een bof voor mijn fantasie dat ik een duistere, barstende vorm van hoofdpijn kreeg, waar ik vierentwintig uur mee rondliep. De extra sterke Anadine die ik in een reuzenverpakking had gekocht, deed niets. Butch zei dat sommige mensen op zee niet misselijk worden, maar hoofdpijn krijgen, en adviseerde me naar de scheepsarts te gaan. Ik was bijzonder ingenomen met het idee iemand in een witte jas te zien.

De Russische dokter was even klein en rond en behaard als een rubberbal met een baard. Als hij lachte, wat hij veel deed bij wijze van conversatie, aangezien hij geen Engels sprak, schitterde zijn mond als de opgekomen zon door de gloed van een grote hoeveelheid gouden tanden en kiezen. Hij had er meer dan enig ander bemanningslid, hoewel alle Russen gouden stralen lieten opflitsen van ten minste een of twee hoektanden. De dokter was oorspronkelijk tandarts geweest, wat misschien verklaarde waarom hij de meeste had. Het was kennelijk een statussymbool bij de bemanning, en wellicht bij Russen in het algemeen, om zoveel gouden tanden en kiezen te hebben als je je maar kunt veroorloven, net als tennisspelers en gouden kettingen. Ik geef toe dat ik het aanvankelijk uitermate stom van mensen vond om hun goud in hun mond te dragen. Dat kun je het beste los van je lichaam bewaren, waar het zonder lichamelijk letsel kan worden meegenomen, zo had ik van de geschiedenis en het moderne stadsleven geleerd. Maar het zichtbare genoegen waarmee de kleine ronde dokter zijn vergulde tanden en kiezen liet fonkelen, was zo charmant dat mijn zorgen om hem er uiteindelijk door werden verdreven.

Hij wees met een verblindende glimlach naar zijn maag, die slechts door zijn algemene ligging te onderscheiden was van zijn borst en zelfs van zijn dijen. Ik wees naar mijn hoofd en legde mijn hand ertegenaan, als een Victoriaanse dame in nood. Hij wees opnieuw naar zijn maag en schudde zijn hoofd. Ik schudde het mijne eveneens. Hij knikte, keek blij omdat we zo efficiënt konden communiceren, en haalde uit zijn witte doktersjasje een zilveren strip met vijf grote pillen. Ze waren wit met hier en daar een groene veeg, als porseleinen tanden die net spinazie hebben gegeten. Hij stak één vinger op en toen, nadat hij die had weggehaald, een hele hand vol vingers. Ik moest ze ofwel alle vijf in een keer innemen of elke vijf uur een. Hij bevestigde het laatste door op zijn horloge te wijzen, dat bijna schuilging in de zwarte ondergroei van het haar op zijn pols, en toen opnieuw vijf vingers te laten zien. Ik glimlachte begrijpend; hij glimlachte tevreden omdat ik het begreep en zei toen een heleboel in het Russisch, waarop ik knikte en 'Dank u wel' zei – of eigenlijk 'spa-sie-ba', zoals was aangegeven op de kaart met twaalf Russische basiszinnetjes, die behulpzaam in de hut was neergelegd –, omdat hij naar mijn stellige overtuiging had gezegd dat ik me weer prima zou voelen zodra ik zijn tabletten had ingenomen. Na zijn vertrek schoot me pas te binnen dat hij me ook had kunnen vertellen dat ik in geen geval tonijn of citroensoufflé mocht eten terwijl ik de pillen gebruikte. De spinazietabletten werkten fantastisch; na slechts drie pillen verdween mijn hoofdpijn zoals een akelige herinnering hoort te verdwijnen en was ik weer een gezonde en gelukkige opvarende.

De expeditieleiders maakten zich grote zorgen over de lange, landloze zeereis. Net als cabinepersoneel in vliegtuigen deden ze hun best de passagiers te behoeden voor de gevaarlijke gevolgen van verveling. Maaltijden, lezingen, georganiseerde kaartwedstrijden en videofilms vulden de uren alsof we na zestig vrije minuten tegen de muren op zouden vliegen, ontstemd zouden morren en tot muiterij zouden aanzetten. Ik wist dat ik het spel van het rooster moest meespelen, omdat ik anders een koele en onvriendelijke indruk zou maken – geen goed idee op een klein schip waarop ik tweeënhalve week zou moeten doorbrengen.

Aan het ontbijt zat ik opgewekt tegenover Grote Jim en zijn berg van vijf worstjes, diverse gebakken eieren en twee of drie bosbessencakejes, die op het randje van zijn bord balanceerden.

'Hallo, hoe gaat het?' vroeg hij zonder van zijn mes en vork op te kijken. 'Zeeziek? Dat zijn er heel veel.'

Grote Jim had geen last van zeeziekte. Ik zei hem dat ik niet zeeziek was geweest, maar hoofdpijn had gehad, waar de uitstekende Russische dokter me echter van had genezen.

'Nou, als je medicijnen nodig hebt, kom je maar bij mij. Ik ben een wandelende apotheek. Ga nooit weg zonder een complete medicijnkist. Kalmerende middelen, antibiotica, codeïne – wat je ook nodig hebt, ik heb het bij me.'

Ik bedankte hem, oprecht getroost door de mogelijkheid van zijn toverdoos.

Ik ging gehoorzaam naar Jerry's lezing: 'Leven op zee: alleen voor de vogels?' Mijn hart, dat al half was gezonken, ging helemaal onder toen hij aankwam met een replica van een dode witte vogel om zijn nek. Hij vertelde ons het verhaal van *The Ancient Mariner*, dat kennelijk was geschreven door iemand die Samuel Taylor Cóólridge heette, ongetwijfeld een presidentiële dichter. De ogen van het Britse contingent begonnen in hun kassen rond te draaien. De albatros in kwestie zou de reuzenalbatros zijn geweest, die alleen in deze streken voorkomt, een enorme, zuiver witte vogel, die zijn leven lang rondvliegt en slechts eens per jaar landt om te paren. Manny viel hem diverse keren in de rede met wanhopige grapjes over Albert Ross. Jerry, een man uit Alaska met bakkebaarden en zonder het gevoel voor humor van Manny of wie dan ook, zag er de grap niet van in en bleef zijn dia's vertonen van stormvogels (sneeuw-, reuzen-, witkeel- en Kaapse stormvogels), grote jagers (de luchtpiraten, bruin en antarctisch) en talloze albatrossen (konings-, wenkbrauw-, geelbek-, grijskop- en reuzenalbatrossen). Ik zou er niet een van kunnen herkennen als ik achter op het schip naar 'vogels' stond te kijken, grote en kleine, lichte en donkere, mooie en saaie, die in ons kielzog vlogen.

De vogelaars waren een heel aparte groep en waarschijnlijk de enige grote vreugde van de expeditieleiding, want ze hoefden geen van allen te worden zoet gehouden. Ze liepen – evenals ik een of twee keer – al om vijf uur 's morgens rond en stonden, volledig bestand tegen het weer, terwijl alleen hun ogen nog te zien waren, in kluitjes op het achterschip of aan weerszijden van de brug de hemel af te speuren met hun alarmerend grote verrekijkers. De purser van British Airways, nog steeds in zijn pak en op zijn stadsschoenen – een geweldig probleem op het natte dek –, maar verder gehuld in een gesloten parka, was een beetje een eenling, die vaak aan de zijkant van het schip te vinden was, waar hij urenlang in dezelfde houding tegen de reling stond te wachten tot de vogels in zicht kwamen. Toen ik mijn verrekijker, die volgens mij beslist duur genoeg was geweest, scherp probeerde te stellen op een bewegend stipje, zag ik niets: vogels bewegen te snel. Zodra ik een veer in beeld had, verdween die en moest ik me wankelend omdraaien in een poging hem weer terug te vinden, wat nooit lukte. Een Canadese vogelaar wendde één oog van de lucht af om me kort uit te leggen dat mijn uitrusting niet deugde. 'Het heeft geen zin om door iets te kijken waar je minder dan duizend dollar aan hebt besteed.' Ik had geen duizend dollar besteed, dus hield ik ermee op en merkte dat ik de vlucht van de vogels gewoon met mijn bril heel goed kon volgen. Ik zag zelfs dat een van de vogels een zwarte halve cirkel boven zijn oog had. 'Aha,' riep ik triomfantelijk uit, 'een wenkbrauwalbatros!' Dat was zo. Mijn eer was tevredengesteld en ik ging weer kijken hoe vliegende dieren in het algemeen doken, zwenkten en over het water scheerden.

De vogelaars maakten geen van allen foto's; ze keken alleen maar om de soort vast te stellen. Dan lieten ze hun verrekijker op hun borst vallen om het waargenomen dier af te strepen op een voorgedrukt schema. Datum, tijd, aantal geziene vogels. Later, tijdens de maaltijden, zaten ze allemaal op een kluitje bij elkaar – zelfs de purser van British Airways – om waarnemingen met elkaar uit te wisselen door elkaars lijsten te raadplegen en dubieuze identificaties in twijfel te trekken. We hadden de groepsindelingen voor de tochtjes naar de wal gekregen; er gingen zeven tot negen passagiers in elke zodiac. De vogelaars klaagden dat ze verdeeld waren over de zodiacs en de lijst moest opnieuw worden samengesteld om hen allemaal in dezelfde boot te zetten. Ze werden de risee van de rest van het schip. De blokkers van de school.

Tijdens de eerste volle dag op zee scheen de zon tijden achter elkaar en was het ongelooflijk warm. Toen ik naar het kleine hoogste dek klom, zag ik een paar blote benen achter een weertoren vandaan steken. Een van de Russische zeelieden lag uitgestrekt in zijn zwembroek op een handdoek, glimmend van de zonnebrandcrème. Ik sloop weg omdat ik zijn rust en ontspanning niet wilde verstoren. De volgende dag was totaal anders, veel kouder, en hoewel de zee kalm was, met slechts een paar dansende schuimkopjes op het oppervlak, hing er een bijtende, droge, ijzige kou in de lucht. We bevonden ons op 54 graden zuiderbreedte, hadden de brave westenwinden van veertig graden zuiderbreedte achter ons gelaten en zaten in het gebied van de razende westenwinden van vijftig graden zuiderbreedte, nog altijd 450 mijl van Zuid-Georgië, waar we de volgende morgen aan land zouden gaan.

Ik had deze reis speciaal uitgekozen omdat we Zuid-Georgië zouden aandoen, en ik was niet de enige. Er waren minstens vier anderen die de naam Zuid-Georgië met ontzag uitspraken. Dat kwam door de verbazingwekkende reis van Ernest Shackleton tijdens de expeditie met de Endurance in 1914. Hoewel we geen eigen zodiac hadden opgeëist, hadden we elkaar gevonden en was er een kleine, informele Shackleton-fanclub ontstaan.

Ik had deze reis niet gepland als een soort bedevaart, louter als een hoopvolle reis naar een witte wereld. Mijn motieven waren even vaag als het landschap waar ik naar toe wilde. Er was domweg een irrationeel verlangen om in een land van sneeuw en ijs aan de onderkant van de wereld te zijn. Ik wilde 'wit' en in wittinten schrijven, hoewel ik daartoe beslist niet zoveel moeite had hoeven te doen. Toen ik 'groen' had willen schrijven, had ik een roman geschreven over een regenwoud zonder de behoefte te voelen om naar zo'n broeierig, van insecten vergeven oord te gaan als een echte jungle. Een vlug tochtje naar Kew Gardens en een paar boeken hadden het gewenste resultaat opgeleverd. Het kwam er dus op neer dat ik er wilde zíjn, in een wit, leeg, onbevolkt, stil landschap. Misschien wilde ik dringend op de maan zijn, maar dat was iets moeilijker te regelen.

Het zoeken naar je wortels is tegenwoordig een geldig excuus om te reizen, maar ik ben een joodse Londenaar van middelbare leeftijd en er was weinig kans dat ik de oorsprong van deze aspecten van mezelf in het zuidpoolgebied zou aantreffen. Het andere excuus voor reizigers ging evenmin op: het zoeken naar alternatieve leefwijzen. Er is geen menselijk leven op de zuidpool, met uitzondering van een handjevol personeelsleden van de basiskampen, en de leefstijlen van niet-menselijke soorten als de pinguïn en de reuzenalbatros hebben zelfs de ellendigste samenleving nauwelijks iets te bieden. Ik was evenmin een wetenschapper die ernaar hunkerde iets aan de totale hoeveelheid menselijke kennis toe te voegen. Eerlijk gezegd ben ik niet bijzonder verontrust door het gat in de ozonlaag, hoewel ik ervoor zorg dat ik me met de juiste beschermingsfactor insmeer als ik ga zonnebaden. Bovendien vind ik het vreselijk om het koud te hebben. Mijn centrale verwarming staat voor bezoekers altijd een paar graden te hoog en ik ben bezig een geheime voorraad kasjmier truien aan te leggen om het ten minste niet koud te hebben als mijn verarmde oude dag aanbreekt.

En ik had geen bijzondere belangstelling voor verhalen over ontdekkingsreizen en stoute stukjes. Als kind ben ik er zelfs nooit toe gekomen *Swallows and Amazons* te lezen, omdat ik me absoluut niet interesseerde voor boten en avonturen. Ik wist dat Robert Falcon Scott een veelzeggende zwakke plek in de Engelse aard vertegenwoordigde, maar interesseerde me er niet genoeg voor om uit te zoeken hoe dat precies zat. Voordat ik besloot naar de zuidpool te gaan en over dat onderwerp begon te lezen, had ik nauwelijks van Shackleton gehoord. Ik associeerde hem niet eens met het zuiden; voor zover ik wist kon hij wel de Stille Oceaan hebben bevaren en de Trobriandeilanden hebben ontdekt.

Toen ik me er voor mijn reis eindelijk toe zette *The Worst Journey in the World* van Cherry-Garrard te lezen en *South*, Shackletons verslag van de reis met de Endurance, was ik onmiddellijk een en al verwondering. Apsley Cherry-Garrards verslag van Scotts laatste expeditie doet als noodlotsgeschiedenis niet onder voor een magistrale roman. Ondanks Cherry-Garrards trots op de ongetwijfeld grote moed en kameraadschap kon het zijn geschreven met een pen die in tranen was gedoopt. Ten behoeve van de wetenschap heeft hij, samen met Wilson en Bowers, vijf weken lang bij temperaturen van zesenvijftig graden onder nul door de sneeuwstormen van de antarctische winternacht gezwoegd om eieren van de keizerspinguïn te verzamelen, opdat Wilson de embryo's kon gebruiken om te bewijzen dat pinguïns tussen vogels en reptielen in staan. Wilson had ongelijk, maar daar ging het niet om. Het ging erom dat de drie mannen toen alles tegenzat, toen de tent door een verschrikkelijke wind boven hen werd weggerukt, ze urenlang in de sneeuw begraven waren en wisten dat ze de kou niet konden overleven, liederen zongen en niet vergaten 'alstublieft' en 'dank u wel' te zeggen en dat niemand ook maar een keer heeft gevloekt. De vreemdheid van Scotts zuidpool ligt in feite niet in het buitenissige landschap en klimaat van het verre zuiden, maar in de manier waarop die mannen, die niet langer geleden leefden dan de generatie van mijn grootvader, dachten en met elkaar omgingen.

En toch zijn er zelfs in de uitermate loyale memoires van Cherry-Garrard vage aanwijzingen dat er, afgezien van de heldhaftigheid en de lichamelijke en geestelijke wilskracht, iets mis was. Zijn beschrijving van Scott is een wonder van onderdrukte ambiguïteit:

Van nature was hij een zwak man en hij had heel goed een opvliegende despoot kunnen worden. Hij had humeurige en depressieve buien die weken konden aanhouden [...] Ik ken geen man die zo snel huilde [...] Het zou dom zijn om te zeggen dat hij alle deugden bezat, want hij had bijvoorbeeld weinig gevoel voor humor en weinig mensenkennis [...] En ondanks de geweldige vlagen van depressiviteit waardoor hij werd overvallen, was Scott de sterkste combinatie van een sterke geest in een sterk lichaam die ik ooit ben tegengekomen. En dat doordat hij zo zwak was! In wezen zo gemelijk, overgevoelig, heetgebakerd, depressief en humeurig. In de praktijk een enorme overwinning op zichzelf, een en al vitaliteit, wilskracht en vastberadenheid, en daarenboven een grote persoonlijke en onweerstaanbare innerlijke charme [...] Hij zal de geschiedenis ingaan als de Engelsman die de zuidpool heeft veroverd en die de eer heeft gehad de mooiste dood te sterven die een man maar kan sterven. Hij heeft talrijke triomfen behaald – waarvan de pool echter geenszins de grootste was. De grootste was ongetwijfeld dat hij zijn zwakke kant heeft overwonnen en de sterke leider is geworden die we volgden en van wie we zijn gaan houden.

Dat alles werd na afloop in de doofpot gestopt toen de Eerste Wereldoorlog Engelse helden nodig had. Nu wordt algemeen aanvaard dat ze onnodig zijn gestorven door een combinatie van zinloze koppigheid en onbekwaamheid. Tegenwoordig zijn er nog maar heel weinig mensen die de wereld graag opgeven voor een pinguïnei, of die het een eer vinden om welke dood ook te sterven. Merkwaardig genoeg scheen kapitein Oates er net zo over te denken. Hoewel hij beroemd is geworden doordat hij de tent heeft verlaten om in de sneeuw zijn dood tegemoet te lopen, doordat hij zijn leven heeft opgeofferd voor de anderen, staat het vast dat als hij dat een of twee dagen eerder had gedaan, er genoeg voorraden voor de andere drie mannen zouden zijn geweest om het basiskamp te halen, dat maar een paar kilometer verwijderd was van de plek waar ze zijn omgekomen. Scott heeft er nogal over gemopperd dat Oates zijn vertrek zo lang uitstelde. Oates wilde kennelijk, begrijpelijk volgens de moderne manier van denken, geen mooie dood sterven en verkoos te blijven leven tot er geen andere keus was dan de dood. Dat lijkt op een of andere manier logischer en fatsoenlijker dan de officiële versie van wat er is gebeurd.

Toen Cherry-Garrard zeven jaar later nadacht over de dood van de poolreizigers Scott, Wilson, Oates, Bowers en Evans, kwam hij tot de volgende conclusie: 'Ik zie nu heel duidelijk dat we weliswaar voor een reusachtige tragedie hebben gezorgd, die nooit zal worden vergeten, alleen omdat het een tragedie was, maar dat dat niet onze taak was.'

Shackleton hield zich beslist niet met tragedies bezig. Zijn opmerkelijkste avontuur werd ondernomen om tweeëntwintig gestrande kameraden te redden, en bij al zijn expedities is er niemand om het leven gekomen. Scott haatte hem. Shackleton behoorde niet tot de marine en hij was geen heer; hij ritselde en maakte plannen om geld bij elkaar te krijgen; hij was niet bijster geïnteresseerd in de wetenschap, maar wilde de pool bereiken omdat hij het geld nodig had dat de roem hem zou brengen. Een beetje een waaghals. Een charmeur.

De reis naar Zuid-Georgië, waarvan hij in *South* verslag doet, laat je perplex achter. Het plan om de zuidpool over te steken, was allang voor ze Antarctica bereikten mislukt. Het schip, de Endurance, was ingesloten door pakijs. Tijdens de lange winter leefden ze op of naast het schip tot het uiteindelijk door het ijs werd verbrijzeld, waarna ze op de ijsschots kampeerden en hoopten dat ze in noordelijke richting naar land zouden drijven. Acht maanden lang leefden ze op drijvend ijs dat na de komst van de zomer om hen heen wegsmolt. Toen de schots nog maar een doorsnede van vijftien meter had, stapten ze in drie walvissloepen en voeren in vijf dagen naar Elephant, een onbewoonde rots die tot de Zuid-Shetlandeilanden behoort. Aangezien er geen enkele kans op redding was, doordat niemand wist wat er met hen was gebeurd of waar ze waren, stapten Shackleton en vijf andere bemanningsleden in een open boot van nog geen zeven meter en legden 800 mijl af over de meest door storm geteisterde oceaan ter wereld om in Zuid-Georgië hulp te halen. Het duurde zestien dagen voordat ze Zuid-Georgië bereikten, maar ze gingen aan de verkeerde, aan de onbewoonde kant van het eiland aan land. Daarop vertrokken Shackleton,

Worsley en Crean om de bergen over te steken en het walvis-station aan de andere kant te bereiken. Het eiland, dat is om-schreven als 'een tand van een zaag, oprijzend uit de geman-gelde bodemverheffing van de berg en de gletsjer die aan de noordkant wanordelijk naar zee valt', was nog nooit door ie-mand overgestoken. De drie mannen staken die tand over zonder een enkele slaapzak, zonder te stoppen om te slapen, aangezien ze dan zouden zijn omgekomen van de kou, en zonder enig idee welke weg ze moesten nemen. Sindsdien is alleen een goed uitgerust team bergbeklimmers het eiland één keer overgestoken. Na diverse pogingen hebben solda-ten van het Britse leger die daar zijn gestationeerd, het opge-geven. De mannen op Elephant zijn gered. Shackletons be-manningsleden zijn geen van allen gestorven, zelfs niet de mooiste dood die een man maar kan sterven.

De 800 mijl van Ushuaia naar Zuid-Georgië was bijna de-zelfde afstand die Shackleton vanaf Elephant in een open boot had afgelegd. Ik dacht even aan hem terwijl ik gelukza-lig in mijn kooi lag te slingeren.

John uit Phoenix was het fanatiekste lid van ons Genoot-schap tot Waardering van Shackleton. Hij was hoogleraar ingenieurswetenschap en was weg van onze held. Hij had een schat bij zich: een videoband van Frank Hurleys oor-spronkelijke film die tijdens de expeditie van de Endurance was gemaakt. John uit Phoenix en James Ross – een pracht-naam, maar geen familie van de poolreiziger – waren men-sen die ik alleen in films had gezien. Zowel John als James werd steevast door James Stewart gespeeld in de films waar-in hij er door zijn fatsoen en juiste normen en waarden net in slaagt een wereld bijeen te houden die gek is geworden van hebzucht en corruptie. John uit Phoenix was halverwe-ge de vijftig. James was eind zeventig, een beer van een man in geruite houthakkershemden en eveneens ingenieur, maar anders dan John. Zijn gezicht vertrok van pijn toen hij zich de duistere dagen van Richard Nixon herinnerde en de lofredes waarmee die bij zijn dood was overladen. John en hij waren democraten in de ruime, humane zin van het woord die vermoedelijk de bedoeling was geweest toen de Amerikaanse grondwet was opgesteld. Het waren John Waynes zonder het instinct om te doden, even romantisch over de betekenis van Amerika en even teleurgesteld over wat het niet heeft waargemaakt als een held van Capra. Ze waren allebei fervente lezers, hielden van oude films en vonden het heerlijk om te praten. Het waren vriendelijke, ontwikkelde mannen, die echter ook een duistere kant hadden, net als James Stewart, een soort onvervuld verlangen, een terughoudendheid waardoor ze, John in elk geval en James waarschijnlijk ook, bij tijd en wijle humeurig en gereserveerd zouden zijn, waardoor het misschien niet zo gemakkelijk zou zijn om met hen samen te leven. Er was in elk van hen een geïsoleerd terrein, dat vermoedelijk voor absoluut niemand beschikbaar was. John had een kleine dictafoon meegebracht en je zag hem op de gekste tijden in zijn eentje over dek dwalen, terwijl hij steels in zijn komvormige hand mompelde. In gedachten noemde ik hem 'Shackletons spion'.

Ik heb James eens tijdens een lunch zijn opgeruimde glimlach zien verliezen toen hij en ik bij de Roths aan tafel waren beland. Manny sprak zich duidelijker uit dan ooit en iets in James maakte hem zeer extreem, waardoor hij liet weten dat de indianen die van een uitkering leefden onder dwang gesteriliseerd dienden te worden, dat alle niet-Amerikanen de toegang tot de Verenigde Staten moest worden ontzegd en dat de bijstand moest worden afgeschaft, aangezien zijn familie zichzelf vanuit armoede had opgewerkt. James' gezicht betrok gevaarlijk en hij sprak heel rustig en met een nogal verontrustende zelfbeheersing over de grondwet, de mensenrechten en de Amerikaanse traditie om vluchtelingen op te nemen. Manny's stem werd gewoon nog harder en zijn opvattingen werden steeds verwerpelijker, terwijl Emily hem steunde. Het waren mensen die door hun ontevredenheid de wereld voor zichzelf hadden vergiftigd. Overal waar ze waren, hadden ze herrie met de mensen om hen heen, zelfs in Israël.

'Waarom blijven jullie in Santa Fe als jullie je zo storen aan de mensen die daar wonen?' vroeg ik.

'Ach,' zei Emily, met een van afschuw vertrokken mond. 'Wat heeft het voor zin om ergens anders heen te gaan? We hebben alles geprobeerd. Het zou toch weer hetzelfde zijn.'

Dat was vrijwel zeker waar. Het was alsof ze besmet waren met hun eigen haat. Die zou aan hen blijven plakken, waar ze ook naar toe gingen. Door tegen Mannie in te gaan, speelde je hem in de kaart. Je kon net zo goed tegen de spelregels van Monopoly ingaan. Na afloop bood James me zijn excuses aan omdat hij zijn geduld had verloren. Ik zei dat ik zijn zelfbeheersing juist had bewonderd en dat het verontrustend was zoals dergelijke opvattingen je aangrepen, waardoor je zelf bijna agressief wilde worden, maar hij schudde zijn hoofd. Hij verontschuldigde zich voor zijn gevoelens, voor zijn gerechtvaardigde maar zinloze innerlijke woede en walging over wat Manny had gezegd.

Onze mede Shackleton-fans waren twee Engelsen, een echtpaar dat zo van een castingbureau had kunnen komen. Peter en Margaret waren een eind in de zeventig en even Engels als plumpudding. Hij had op Buitenlandse Zaken gewerkt, had een keurige snor en sprak met een bulderende, bekakte stem. Margaret was zijn evenbeeld, in degelijke tweed rokken en twinsets. Ze praatten allebei met veel liefde en kennis van zaken over Shackletons prestaties en waren klaarblijkelijk slechts behoorlijk verbaasd en geamuseerd geweest toen een van de vrouwelijke bemanningsleden voor hun ogen spiernaakt vanuit de sauna de gang in was gestapt en ijlings het zwembad op het bovendek was ingesprongen.

'Ik zei: "Nee maar,"' vertelde Margaret, met een hoge, welopgevoede schaterlach, '"die vrouw heeft geen draad aan haar lijf." "Hmm," zei Peter, "volkomen waar, ouwetje."'

De oer-Amerikanen John en James waren verrukt van de oer-Britten Margaret en Peter; het waren net personages uit Engelse romans die tot leven waren gekomen. John en James hadden allebei een zwak voor een denkbeeldig Engeland, waar het fatsoen volgens hen tot ontwikkeling was gekomen en nog steeds bestond. Ze beschouwden het decennium van Margaret Thatcher als een dwaling en deden daar nogal verontschuldigend over, alsof het op een of andere manier de schuld van Amerika was geweest. Ik ontsloeg hen grootmoedig van die verantwoordelijkheid – zij hadden tenslotte met Reagan gezeten, en ze knikten bedroefd.

Maar het begon vervelend te worden om temidden van een bootlading Amerikaanse burgers uit Groot-Brittannië afkomstig te zijn. De Amerikanen waren weg van mijn accent en als ze me tegenkwamen, haalden ze herinneringen op aan een Engeland dat ze eens tijdens de zomer hadden bezocht of wellicht slechts op de Amerikaanse televisie hadden gezien in de vorm van *The Benny Hill Show, Monty Python, Upstairs Downstairs* en *Fawlty Towers*. Wij Britten drinken thee, nooit koffie; we kunnen niet koken; het regent altijd – en alsof dat nog niet erg genoeg is, schijnt de zon ook nooit; we nemen in onze vrije tijd doorlopend deel aan koninklijke ceremonieën; we zijn economisch verarmd, technisch achtergesteld en emotioneel geremd, maar de positieve kant is dat we steevast een klassieke opleiding hebben gehad en dat ons culturele erfgoed ('Die prachtige National Portrait Gallery van jullie...') met niets te vergelijken is. De mensen bleven me dat maar vertellen alsof het waar was en alsof ik het, als het waar was geweest, niet zou hebben geweten. Mijn glimlach werd steeds koeler.

En mijn glimlach verdween helemaal tijdens de middaglezing over de geschiedenis van de walvisvaart, ter voorbereiding op onze eerste bezoek aan de wal in Zuid-Georgië. Tessa was getrouwd met Jerry, de vogelman, kwam eveneens uit Alaska en was mager, kordaat en een echt buitenmens. Ze was een zeer moderne jonge vrouw met correcte opvattingen, die de smerige geschiedenis van de walvisvaart vertelde met alle zelfgenoegzame walging die een kneuterig geweten kon oproepen. Intellectueel gezien was ze Jerry beslist de baas, want ze beheerste haar onderwerp beter, maar ze waren helaas zeer aan elkaar gewaagd wat betreft humor, althans het gebrek daaraan.

De enige bewoonde plaats op Zuid-Georgië, Grytviken, is van 1904 tot 1965 een walvisstation geweest. Het is min of meer in stand gehouden als museum voor de walvisvaart en als de plek waar Shackleton is begraven toen hij op weg naar zijn volgende zuidpoolexpeditie aan een hartaanval is overleden. Tegenwoordig houden we natuurlijk van walvissen, denken we anders en weten we meer van onze planeet dan in het verleden. Ik vind dat 'meer weten' tergend zelfvoldaan. Terwijl Tessa de details van de walvisvangst afwerkte, de vangmethoden, het verwijderen van de speklaag, het uitkoken en het uiteindelijke gebruik van alle andere mogelijke delen van de walvis, siste het publiek, en mijn medereizigers klakten met hun tong, schudden hun hoofd en legden hun hand voor hun ogen toen er dia's op het scherm opflitsten waarop dode walvissen werden geslacht. Er klonk zelfs boegeroep bij die aanblik, en Tessa, die het verhaal openhartig maar met een zuinig mondje vertelde, wachtte op de reactie zoals een komiek even stopt voor gelach. Nadat ze ons had verteld dat walvisbaleinen voor korsetten en andere overdreven opschik waren gebruikt en grijze amber voor parfum, was het bijzonder lang stil, waarna moordzuchtig gemompel volgde. Na de geschiedenis kregen we de cijfers: hoeveel walvissen er waren gedood (tijdens de actieve periode in Grytviken 54 100); hoeveel of eigenlijk hoe weinig er nog over waren en de kleine kans dat de meest uitgedunde soorten zich ooit nog zouden herstellen. Meer gesis en boegeroep. De tongen tut-tut-tutten woedend. Ten slotte de finale, plaatjes van walvissen die schitterend uit het water sprongen, bliezen, doken en met hun jongen zwommen, en als klap op de vuurpijl het mysterieuze lied van de bultrug op een cassetterecorder. De afkeurende geluiden veranderden ogenblikkelijk in de ohs en ahs van liefde voor de natuur als die indrukwekkender en natuurlijker is dan ooit.

Ik houd net zo veel van een walvis als ieder ander. Ik ben er helemaal voor dat dieren evenals mensen als het even kan met rust worden gelaten. Ik vind de roofzuchtige homo sapiensmanier waarop we met de wereld omgaan maar niets, hoewel onze homo sapiensmanier natuurlijk gewoon een doeltreffender vorm van roofzucht is dan waartoe de andere soorten in staat zijn. Maar nu zat een bootlading rijke lui hun slechte voorouders uit te jouwen omdat ze spectaculair grote dieren hadden gedood. Niemand had het over de wreedheid om op kabeljauw te vissen. We waren mensen die het zich konden veroorloven om scharrelkippen te kopen, opdat hun korte leven iets aangenamer is dan dat van hun nichten uit de legbatterij die de armen zich slechts kunnen veroorloven. De handel in walvisproducten had grotendeels bestaan uit traan, die voor de komst van paraffine voor verlichting en verwarming was gebruikt. We hebben geen walvisbaleinen meer nodig voor ons ondergoed of de andere dingen die veel beter van plastic kunnen worden gemaakt. Haal onze elektriciteit en de bijproducten van de aardolieindustrie weg, en we zouden met veel overlast in het donker zitten. De zelfgenoegzaamheid van mensen die het zich konden veroorloven om het zonder walvisproducten te stellen, die de tijd en de technologie hadden om de schoonheid van walvissen in hun natuurlijke staat te waarderen en die voordeel hadden gehad van de rijkdom van vroegere ongebreidelde handel, maakte me nors. Dit was geen respect voor het leven, maar sentimentaliteit en onnadenkende superioriteit ten opzichte van mensen uit het verleden, aan wie we te danken hadden dat we dit alles hadden bereikt. In mijn ogen zag de menigte in de vergaderzaal er veel walgelijker uit dan de jaren geleden overleden mannen op de dia's, die met hun walvisspade het spek wegsneden, en was ze veel minder met het dier begaan dan de walvisvaarders van Melville, die hun leven hadden geriskeerd om aan de kost te komen. Er wordt nog steeds op walvissen gejaagd, ondanks het verbod van de internationale walviscommissie, en ze worden alleen gebruikt voor overbodig exotisch voedsel, om de verveelde tong van de rijken en hun huisdieren te strelen. Dit werd eveneens uitgejouwd, maar het waren dan ook de Japanners, niet de Amerikanen, die deze wreedheid begingen en er zaten geen Japanners in het publiek. Afkeuring gaat er altijd van uit dat andere mensen (dode mensen, buitenlanders) het onaanvaardbare doen.

Ik verliet de vergaderzaal en stond naar de zee te kijken, die een turkooizen kleur had zoals ik nog nooit had gezien. Een iriserende, fonkelende tint groen met een vleug blauw en witte franje die op het oppervlak danste. De wolken waren plat en donzig in een azuurblauwe lucht. Was dit de wilde, woelige Zuid-Atlantische Oceaan? Misschien dat het gat in de ozonlaag... maar ik bewaarde die afkeuring voor een andere dag terwijl ik genoot van het kalmerende, fel gekleurde uitzicht.

Johns videoband van de bewaard gebleven film die Hurley van de expeditie van de Endurance had gemaakt, werd de avond voor ons bezoek aan Zuid-Georgië vertoond. De film zag er zo teer uit dat we wel naar bewegende, nauwelijks bewegende, beelden van het hof van Elizabeth 1 hadden kunnen kijken. Herbert Pontings film van Scotts laatste expeditie is ouder dan dit met de hand gedraaide camerawerk uit 1915, maar heeft het beter overleefd, vermoedelijk doordat hij betrekkelijk veilig is bewaard in de overwinteringshut bij Kaap Evans. Hurley's bewegende beelden gaan slechts tot het moment waarop de Endurance ten slotte zinkt en de mannen op de ijsschots vertrekken. Shackleton had hun opgedragen zoveel mogelijk weg te doen – hij had de bijbel weggegooid, met uitzondering van het schutblad met de handtekening van koningin Alexandra, psalm 23 en de bladzijde uit het boek Job met de regels:

Uit wiens schoot komt het ijs voort?
En wie baart den rijm des hemels?
Als met eenen steen verbergen zich de wateren
en het vlakke des afgronds wordt omvat.

Hurley's onhandige cinematograaf heeft het niet lang volgehouden, dus hebben alleen foto's zijn tijd op Elephant vastgelegd. Hij heeft de film van het eerste deel van de reis zo goed mogelijk bewaard, maar ondanks de moderne restauratie leek die even antiek als papyrus. Het schip in het ijs, bedekt met rijp, ziet er grandioos en indrukwekkend uit, als een beeldhouwwerk; het is een beroemde foto, maar bij de filmversie, waarin de Endurance krakend en jammerend breekt en soms lijkt te gillen als ze in het midden verbuigt, terwijl de grote mast op het dek klapt en het hele gevaarte ten slotte onder het ijs zakt, blijft je hart stilstaan. Toen duidelijk werd dat het schip niet tegen de druk bestand was, werden de honden overboord gezet via een glijbaan van zeildoek – een voorloper van de noodglijbanen van vliegtuigen. De honden jankten en blaften en gleden volkomen stuurloos naar beneden, waar de mannen ze opvingen, als klantenlokkers op een kermis, en ze op het ijs zetten. Dan schudden de honden zich opgelucht en renden rondjes om elkaar en de bemanningsleden heen. Een eerdere scène liet zien hoe de bemanning wanhopig een weg door het sluitende ijs probeerde te vinden. Sommigen hakten in op de randen van het pakijs om de schots te splijten en anderen trokken aan een touw om het schip door de zojuist gehakte smalle doorgang te slepen. De film was op dat punt zo teer dat de rij mannen en het touw tussen hen in donker bloedend in elkaar over leken te gaan, waardoor de individuen vervaagden totdat ze schijnbaar door middel van een navelstreng met hun eigen schaduwen waren verbonden. Ik wierp een blik op John en zag dat hij zijn tranen verbeet bij het zien van een laatste shot van Shackleton op zijn laatste tocht, terwijl hij met opgerolde mouwen en veel plezier zijn lievelingshond, een Duitse herder, op het dek inzeept. De volgende morgen zouden we op de plek komen waar hij slechts enkele dagen later was begraven.

Na de film dronk ik een kopje koffie in de 'lounge', waar niemand anders was dan Janice. Het was te laat om niet met haar te hoeven praten. Janice was de hele reis al een geest. Ze was een Engelse vrouw van in de dertig, die net als ik alleen reisde. Ik had een of twee keer met haar gepraat: ze werkte op een kantoor en besteedde al haar vakanties en spaargeld aan reizen naar vreemde en exotische streken. Toch was het moeilijk om een gesprek te voeren met Janice, die volgens mij zo chronisch depressief was als ik nog nooit had gezien. Ze keek alsof ze voortdurend in de rouw was; als je haar voor het eerst zag, dacht je dat ze net bericht had gekregen van een ramp, van een sterfgeval in de familie, en vroeg je je af of het gepast zou zijn haar proberen te troosten. Maar ze keek altijd zo en we overwogen allemaal of we een poging zouden doen om aardig tegen haar te zijn. Diverse mensen hadden het geprobeerd, maar niemand meer dan een of twee keer, waarna ze het hadden opgegeven. Het was te moeilijk. Janice zat er zwijgend bij en beantwoordde elke vraag en elk commentaar met een saaie monotone stem. Je was er nog steeds van overtuigd dat ze aan het herstellen was van een of andere persoonlijke tragedie, maar toch wees niets daarop, herhaalde ze alleen het verhaal van haar reizen met de conclusie dat ze na deze reis overal was geweest waar ze ooit naar toe had willen gaan. Zodra ze in Ushuaia voet aan land zette, was het met haar opwinding gedaan. Als ik haar aan dek zag, raakte ik gespannen van angst dat ze overboord zou klimmen. Maar ze gedroeg zich niet theatraal, impliceerde dat alleen maar. Ze liep zwijgend en alleen over het schip rond terwijl ze onophoudelijk rookte, omdat de vrouw met wie ze haar hut moest delen niet rookte.

'Hallo,' begon ik toen ik tegenover Janice ging zitten. 'Heb je de film gezien?'

'Nee,' zei ze, drukte haar sigaret uit en liep weg.

Ik geloof dat Janice iemand is die diep, of misschien niet eens zo heel diep, in me woont. Ze maakte een onaangenaam vertrouwde en angstaanjagende indruk. Misschien dacht iedereen er zo over. Toen ze wegliep, was dat een enorme opluchting.

Het was tijd om naar de brug te gaan. Om te gaan staren. Twee à drie keer per dag dwaalde ik naar het hoogste dek boven mijn hut om de instrumenten te controleren. De afgelopen paar dagen had ik uitgepuzzeld hoe ik het scherm moest lezen: de afstand die we nog tot Zuid-Georgië hadden te gaan was 131 mijl. We liepen 13,9 knopen – wat dat ook mag betekenen in kilometer per uur – en onze huidige positie was 54°Z, 41,59°W. Vervolgens bekeek ik de potloodstreep op de zeekaart om te zien waar we ons op aarde bevonden. Dat was een noodzakelijk ritueel geworden, maar daarna ging ik naar het navigatiedek om te doen wat ik werkelijk graag deed, dat wil zeggen om bij het panoramaraam naar de zee te staren. De kapitein was zelden op de brug, alleen wanneer er werd gemanoeuvreerd; het simpele varen werd overgelaten aan de twee mannen die de wacht hadden. Een van hen stond aan het roer – hoewel dat eigenlijk een kleine halve cirkel was, niet het mooie grote wagenwiel dat ik me had voorgesteld – en leunde met zijn lenden tegen een beklede paal, een soort zitstok. De andere Rus stond het grootste deel van de tijd bij het raam en wierp af en toe een blik op het radarscherm of op andere onbegrijpelijke instrumenten. Hij scheen nooit iets te zien wat hem opwond. Elke wacht duurde twee uur en tot nu toe hadden alle paren die ik was tegengekomen gezwegen, met uitzondering van een enkel gemompeld Russisch commentaar, blijkbaar over niets bijzonders, en een grommend antwoord. Het ging er bij het wachtlopen duidelijk om dat er werd uitgekeken en dat deden ze, maar dat vereist iemand die tevreden twee uur lang naar een saaie zee kan staren. Iemand als ik bijvoorbeeld. Ik begon te denken dat ik volkomen in mijn element zou zijn als ik een van die zeelieden was. Ik stond uit hun buurt aan de linkerkant van het raam te kijken naar de lucht, de golven en een enkele albatros die bij de boeg rondcirkelde, en zij stonden, de roerganger precies in het midden en de ander helemaal rechts, exact hetzelfde te doen. Ze hadden allebei de wazige, dromerige blik in hun ogen die ongetwijfeld ook in de mijne te zien was, en ze hadden geen van beiden de behoefte iets anders te doen dan het absolute minimum om het schip op koers te houden. Wat vast grotendeels door een computer werd gedaan, dus waren ze er slechts voor noodgevallen. Ze waren weliswaar dromerig, maar toch waakzaam. Het was heel gemakkelijk om die toestand te bereiken. Ik vroeg me stilletjes af of je een horizon zou zien als de aarde plat en oneindig was. Hoewel ik het me niet zo sterk afvroeg dat ik een antwoord verlangde. De zeelieden die de wacht hadden, negeerden me, afgezien van een knikje als ik kwam en mijn knikje als ik vertrok. Op de brug voelde ik me net zo thuis als in mijn hut; het was een plek waar ik kon doen wat ik het liefste deed zonder dat iemand me daarvan weerhield of zag wat ik deed. Daar was ik zo alleen op de oceaan als je in een ruimte met drie mensen maar kon zijn. Starend naar de horizon – de aarde is niet plat of oneindig – probeerde ik me serieus voor te stellen dat de overlijdensakte die Chloe had gevonden van mijn moeder was. Wat voelde ik? Niets... en toen een schok: als ze dood

was, had ze al die tussenliggende jaren geleefd, had ze geleefd en geademd, dezelfde lucht op dezelfde planeet met
me gedeeld. Haar dood zou op haar eerdere leven duiden en
dat was een bijzonder onthutsende gedachte. Misschien
niet zo onthutsend als wanneer Chloe géén overlijdensakte
zou vinden, maar toch zou de wereld waarin ik had menen
te leven er meer door veranderen dan door wat dan ook. Het
was een tikje abstract, maar begon voor mij al te concreet te
worden. De – voor mij – niet te beantwoorden vraag over de
horizon leek me aantrekkelijker om over na te denken en
daar richtte ik me weer op en op de lijn die de lucht van de
zee scheidde, waardoor enige rust terugkeerde. Het was bijna griezelig stil op de brug. O, ik wou dat ik een zeeman
was.

De volgende morgen om negen uur tuigden we ons op
(thermisch ondergoed, kasjmier trui – die nu al van pas
kwam – rubberlaarzen, regenpak, handschoenen en een
zwemvest compleet met een fluitje) en klauterden de deinende valreep af naar de ronkende zodiac. De lucht was
stralend blauw en de zee zo plat als een dubbeltje en zo
blauw als de lucht. Ik stikte gewoon terwijl we op weg naar
de pier op zeeniveau voortzoefden, een rubberboot op een
vijver. Marjorie, een vermaakte, gepensioneerde econoom
uit Oregon, die alleen was omdat haar man onverwachts
ziek was geworden en niet mee had gekund, zat naast me. Ze
was heel klein en leek dik ingepakt in haar regenkleding op
een kanariegele versie van de moordzuchtige dwerg in *Don't
Look Now*. Niet dat ik echt elegant was; ik zag er ongetwijfeld uit als een zeegroene Munchkin. Zoals de man in de
kampeerwinkel in Londen streng had opgemerkt toen ik
een gezicht had getrokken bij de aanblik van mijn water-

proof verschijning in de spiegel: 'U hoeft niet te laten zien hoe modebewust u bent.' Toch was het maar goed dat er geen spiegels waren in het modderhok waar we onze plunje aantrokken.

Marjorie en ik feliciteerden elkaar met de milde weersomstandigheden. Onze leider Butch had ons uitvoerig en nadrukkelijk gewaarschuwd voldoende kleren aan te trekken en er goed voor te zorgen dat we de instructies volgden voor het instappen in de zodiac. 'We hebben tot nu toe nog nooit een dodelijk slachtoffer te betreuren gehad,' zei hij met een frons in zijn voorhoofd, maar dat kwam doordat alle vorige expeditieleden – dat waren wij; we waren geen toeristen – de bevelen 'naar letter en geest' hadden opgevolgd. Marjorie en ik hadden er allebei een hekel aan om bevel te krijgen bevelen op te volgen en we zaten samen rebels te fluisteren dat het allemaal niets voorstelde, waarom dan toch al die drukte?

Voor zover ik kan nagaan ligt Zuid-Georgië verder bij alles vandaan dan welke andere plek op aarde ook. Het ligt 1100 mijl van Zuid-Amerika. Vanaf Ushuaia is het maar twee dagen varen naar het Antarctisch Schiereiland, terwijl het drie dagen en nachten had gekost om Grytviken te bereiken. Volgens de Britse regering behoort Zuid-Georgië echter tot de Falklandeilanden, hoewel die 1290 mijl verderop liggen. Het is een bloeiend walvisstation geweest, maar het is een raadsel waarom iemand ervoor ten strijde zou willen trekken nu de walvisvaart voorbij is, tot je bedenkt dat er olie zit in de omringende wateren – evenals rond het Schiereiland – en dat de afblijven-clausule uit het Antarctisch Verdrag over twintig jaar afloopt. Zuid-Georgië zou duidelijk heel geschikt zijn voor de verwerking en distributie van de vloeibare miljarden. Je dacht toch niet echt dat die schermutseling met de Argentijnen iets met eer te maken had?

Het verlaten walvisstation van Grytviken is vol liefde in zijn natuurlijke staat bewaard of het is vervallen, afhankelijk van hoe je het wil bekijken. Indien verwaarloosde landschappen als de sombere stukken van King's Cross en de oude, ongerestaureerde Londense haven je aanspreken, is Grytviken een juweel van verlatenheid. Een roestbak van een spookstadje, dat op zijn eigen prachtige manier aan het vergaan is. Toen we het in een zodiac vanaf de baai naderden, was het een klein gehuchtje, bestaande uit een en twee verdiepingen tellende gebouwen met witte muren en rode daken, dat op de zakdoekgrote rand van het eiland lag en aan alle kanten werd omgeven door oprijzende zwarte vulkanische bergen met witte toppen en vegen sneeuw en ijs op de hellingen en in de spleten. Het zag er idyllisch maar een tikje kwetsbaar uit, alsof een dappere menselijke poging om zich te doen gelden door het oprukkende eiland zelf onvermijdelijk in zee werd geduwd. Zodra we dichterbij waren, zagen we echter dat een ander aspect van de natuur het had overgenomen, aangezien de keurige witte huisjes grotendeels wegrottende schuren en pakhuizen bleken te zijn, vol weervlekken, met half vergane deuren die uit verroeste scharnieren hingen en met vloeren die bezaaid waren met kapot en roestig gereedschap en zware wegkwijnende kettingen. Het was een prachtige plek toen ik op de wegrottende planken van de snijstelling stapte, waar de walvissen waren opgehesen en kleine mannen met hockeystickachtige messen aan het eind van een lange steel hun plaats hadden ingenomen rondom het enorme lichaam van het dode zoogdier om de centimeters dikke speklaag van het vlees te snijden. Het stadje was een monument voor commerciële efficiëntie. We dwaalden rond en ontdekten een plek voor het uitkoken van het spek, een andere voor het slachten van het vlees en weer een andere voor het verwerken van de botten. Een nuttig plaatsje dat mooi was geworden door zijn verwaarlozing en het tere snijwerk en de sierlijk uitgevreten patronen van roest op ijzer. Een stel dode rompen van half gezonken walvisvaarders aan weerszijden van de baai voltooiden de symmetrie van verval.

We werden begroet door een blozende Engelsman in een visserstrui en zijn vriendelijke vrouw, hoewel mijn aandacht in beslag werd genomen door de surrealistische aanblik van drie soldaten in camouflagepak die met hun woest ogende automatische wapens in de aanslag langs marcheerden. Het leek op een reportage van troepenmanoeuvres in Noord-Ierland. De soldaten flitsten langs toen ik aan de beurt was om een ruwe hand van de blozende man te krijgen. Hij was de conservator van het museum, het enige gebouw in het stadje dat er brandschoon uitzag. We werden gewaarschuwd dat we moesten uitkijken waar we liepen omdat vloeren en plafonds konden instorten, en dat we niet naar het groepje gebouwen anderhalve kilometer naar rechts op King Edward Point mochten lopen, omdat daar het Britse garnizoen was gelegerd – een militair geheim. Hoeveel soldaten waren er gestationeerd? Dat was ook een militair geheim. 'Zeer vertrouwelijk,' zei de blozende conservator ernstig. We mochten echter zo ver naar links lopen als we wilden – maar dienden op zijn minst één lid van het expeditieteam in het oog te houden – en we werden uitgenodigd door het museum te dwalen en de eilandwinkel te bezoeken.

Het was een zachte dag en aangezien we er ongeveer drie uur zouden blijven, trokken we onze zwemvesten en regenkleding uit en borgen die op in een oud washuis. Toen ik van de kaalheid en schoonheid van de gebouwen had genoten, wandelde ik langs de kust naar de heuvel die een kleine kilometer links van me lag en die opviel door een laag wit paaltjeshek, zoals je wel om Engelse plattelandstuinen ziet staan. Onderweg kwam ik mijn eerste zeeolifanten tegen, die her en der in kleine menigten en soms helemaal alleen langs de kust lagen. Eerst vielen ze niet op, doordat ze deel leken uit te maken van het landschap. Maar zodra je de grijze gevaartes als levende wezens had geïdentificeerd, vaak door iets te dichtbij te komen en een humeurige boer uit een open bek van een van hen te krijgen, leerde je de betekenis van de zwaartekracht beter begrijpen.

De stieren, die klem zitten tussen de twee voornaamste regels van de evolutie, natuurlijke en seksuele selectie, lagen nors in elkaar gezakt aan de rand van de zee. De evolutie moet zich een beetje opgelaten achter de oren hebben gekrabd over deze bijzonder onelegante oplossing van haar eigen logica, maar tot de conclusie zijn gekomen dat regels nu eenmaal regels zijn. Mensen van het schip noemden hen lelijk, maar dat geeft de esthetische ramp van de zeeolifant niet helemaal weer. Ze zijn eerder volkomen ongeschikt voor deze planeet. Ik bedacht dat ze wel uit een buitenaards ruimteschip konden zijn geduwd of gevallen en met een plof konden zijn geland zoals wij ze nu op de kust zagen liggen, om er ongeacht de moeilijke omstandigheden het beste van te maken. De zwaartekracht drukt zwaar op hun enorme omvang – een grote stier kan bijna zeven meter lang worden –, zoals grote stenen worden opgestapeld om samengeperst rundvlees tot moes te drukken. Het resultaat is een grijze, lillende berg, waarvan de flanken schuin aflopen naar ogenschijnlijk ontoereikende vinnen. Eén extra steen op de stapel van de zwaartekracht en de hele overbelaste massa zou openbarsten, waardoor vlees en spek door de huid heen zouden exploderen en kilometers weg zouden worden geslingerd. Ze lagen erbij alsof ze uitgeput waren, wat vermoedelijk ook zo was, en hadden hun betrekkelijk kleine koppen vermoeid op het zwarte zand laten zakken. De koeien en jongen hadden het antropomorfische voordeel van enorme, ronde, vochtige ogen, die wijd openrolden als iemand ze passeerde en vermoeid maar smekend keken, alsof ze wilden zeggen: 'Kun je het je voorstellen?' De koeien en jongen draaiden zich op hun zij om zich lui met de klauwen aan het eind van hun vinnen op hun buik te krabben, waardoor je begon te denken: Ach, misschien is het zo slecht nog niet. De stieren draaiden zich niet om; hun hart zou het waarschijnlijk hebben begeven door de poging hun berg vlees te bewegen. En hoewel ze misschien net zulke banale ogen hadden, vielen die me nauwelijks op door mijn ongeloof bij de aanblik van de ingekorte slurf waaraan ze hun naam te danken hebben. De term zeeolifant is een van de meest eufemistische namen waarmee mensen dieren aanduiden die ze herinneren aan iets waaraan ze niet herinnerd willen worden. Als er een eerlijke naam moest worden gegeven, zou het slappe-penisrob zijn, want de gerimpelde, in elkaar geschoven lengte en de bungelende, zwaaiende slapte van die verlengde neuzen zijn een satire op het mannelijke voortplantingsorgaan. Je zou, als dat in je aard lag, niet willen dat je kinderen het zagen.

Onder water zijn de dieren ongetwijfeld een wonder van gratie, hebben ze de ergonomische vorm om door de stromingen te schieten en houden hun speklagen ze warm in de ijskoude zee, maar aan land zijn ze gestrand en kunnen ze geen kant uit. Ze moeten aan land komen om te paren en hun jongen groot te brengen – een nogal vernuftige, zij het onpraktische oplossing van de evolutie, aangezien walvissen erin slagen dat allemaal in het water te doen –, maar de omvang van de stieren, die ze zo uitermate begeerlijk maakt voor de koeien, is een handicap. Ze bewegen zich door hun kolos met een ruk naar voren te gooien, waarbij ze hun kop krommen en met hun ontoereikende vinnen een zielig duwtje geven in de richting van het punt waar ze niet zijn. Bij elke beweging hijgen en puffen ze, wat niet onredelijk is, maar als het echt nodig is, komen ze op hun manier vooruit. Het is slechts nodig wanneer ze weer in zee willen, een koe willen dekken of hun harem willen verdedigen tegen een andere oprukkende leviathan. Gezien hun enorme omvang bewegen de stieren slechts wanneer dat absoluut noodzakelijk is. We waren gewaarschuwd minstens twee meter bij de eventuele dieren op ons pad vandaan te blijven, maar de stieren lagen zo stil op het zand dat ze soms onmogelijk te zien waren en een of twee keer stond ik op nog geen halve meter van een rotsblok dat ineens zijn ogen opendeed, zijn kop optilde, waardoor de slurf obsceen heen en weer zwaaide, en vervolgens zwijgend en dreigend naar me gaapte om me op een afstand te houden. Niets is zo rood, vochtig en vlezig als de binnenkant van de bek van een zeeolifant. Als de slurf boven de vuurrode holte van de bek bungelt, wordt het verhaal van de seksuele voortplanting onthuld. Je bent niet zozeer als de dood voor de aanblik, maar staat aan de grond genageld door de absurde obsceniteit. Wanneer de stieren tijdens het paren of vechten opzettelijk geluid maken, produceren ze vanuit de diepten van hun lillende, trillende keel zo'n sonore en versterkte knetterende boer dat de berghellingen ervan weergalmen en dat voltooit het gevoel dat je getuige bent van een levend audiovisueel voorbeeld van de zeven doodzonden. Dit is God, de populaire liedjesschrijver:

Would you like to swing on a star
Carry moonbeams home in a jar
And be better off than you are?
Or would you rather be an Elephant Seal?

Geef mij maar de manestralen in een potje.

Gezien de aard van zeeolifanten en moderne reizigers werd er nu verwoed gefotografeerd. Het debat of ik op deze reis al dan niet een fototoestel zou meenemen, heeft weken geduurd. Ik heb nog nooit een fototoestel gehad, neem er nooit een mee op vakantie. Roger-de-Ex is echter een enthousiast en toegewijd fotograaf. Hij vond, net als Chloe en vrijwel iedereen, dat ik beslist een fototoestel moest meenemen. Hoe kon ik zo ver weg gaan, naar zo'n afgelegen plek, waar zulke buitenissige dingen te zien waren, zonder foto's te maken? Dat kostte me geen enkele moeite, zei ik. Ik kijk graag naar dingen. Daar moet je mee ophouden als je een fototoestel op iets wilt richten. En waarom zou ik door een lens turen die je gezichtsveld beperkt? Je kunt niet kijken als je altijd bezig bent van de dingen voor je een mooi plaatje te maken. Bovendien verfoei ik het om een fototoestel om mijn nek te hebben. Weer iets om je druk over te maken. Ik herinnerde Chloe aan de uren waarin we enthousiast hadden proberen te doen over de talloze rolletjes met Rogers vakantiekiekjes, al waren die inderdaad verbluffend mooi geweest. Desondanks zou het pervers zijn als ik geen camera meenam.

Roger kwam met iets aan wat hij een echt eenvoudig toestel noemde. Het was ongeveer even zwaar als een bus, had twee enorme lenzen die er afhankelijk van het onderwerp op en af moesten worden geschroefd, en er waren genoeg schaalverdelingen voor van alles en nog wat om de baan van de sterren te kunnen berekenen. Ik was van plan braaf te zijn en het ding mee te nemen, maar toen ik het elementaire verwisselen van de lenzen probeerde te oefenen, lukte me dat niet. Dat is gewoon een kwestie van handigheid, legde Roger uit. Die had ik niet. Toen niemand keek, verborg ik de camera in zijn kleine, beklede koffertje achter de stofzuiger onder de trap en vertrok zonder. Op het vliegveld ontbrak het me aan moed. Ik kocht het kleinste, meest automatische fototoestelletje dat de belastingvrije winkel me kon verkopen. Het zoomde zelf, paste zich aan bij het licht, stelde zich scherp en draaide automatisch door. En het ging ook nog in mijn zak. Een compromis. Tot nu toe had ik het niet gebruikt en ik was vergeten het in de zodiac mee te nemen.

Verder was iedereen echter bezig er film doorheen te schieten alsof er geen volgende dag bestond, laat staan nog twee weken van rondtrekken. Eén vrouw had tachtig filmrolletjes meegenomen uit de Verenigde Staten. Iedereen had aan elke schouder zware reservelenzen en lichtmeters hangen, en wie zo gelukkig was een man of vrouw in de buurt te hebben, liet die als een inheemse drager op een pas afstand met statieven rondsjouwen. De irritantste medereiziger was een Scandinavische beroepsfotograaf die foto's maakte voor een nieuw boek. Hij drong mensen uit de weg, eiste hele gebieden op, duwde zijn camera voor de grote close-ups vlak voor de snuit van de dieren en rende overal bedrijvig rond op zoek naar de gouden foto. Hij had net zo'n beperkte blik als een cameralens, maar sommige amateurs kwamen dicht in de buurt. Er werden uiteraard niet alleen foto's gemaakt. De camcorder was ook overal te zien, waardoor je in combinatie met het geklik en gesnor van automatische kiekjes het monotone gemompel hoorde van stemmen, niet van mensen die met elkaar spraken, maar van individuen die in hun apparaat praatten, commentaar toevoegden aan hun bewegende beelden. Telkens wanneer ik iemand achter me meende te horen praten en me beleefd omdraaide om te luisteren, zag ik een cycloop met een videocamera voor het ontbrekende oog, die vastberaden rondstapte terwijl hij het apparaat met zijn hoofd op en neer bewoog en ronddraaide, alsof ogen niet meer in hun kassen draaiden, en die ondertussen tegen zijn borst mompelde. Iemand die niet wist waar camcorders toe dienden, zou hebben gedacht dat het een uitstapje van het gekkenhuis was. De mensen praatten natuurlijk niet echt in zichzelf, dachten niet eens hardop, maar hadden het tegen hun vrienden en familie op een bepaald moment in de toekomst, wanneer ze in hun woonkamer naar de videoband zouden zitten kijken. De huidige ervaring lag voor hen al in het verleden, want ze hadden een sprong in de tijd gemaakt en zagen de wereld door hun cameralens zoals die eruit zou zien wanneer het huidige moment voorgoed was verdwenen. Er werden dingen benoemd en beschreven, zinnen gevormd en er werd een definitieve versie geschreven zonder de worsteling van de eerste versie om woordeloze indrukken in taal om te zetten. Hier werd de wereld niet in woorden vertaald, maar werd slechts direct commentaar gegeven, wat een eind maakte aan alle processen die samen als nadenken kunnen worden bestempeld. De herinneringen die nu werden gecreëerd, zouden blijven bestaan, bevroren in de toekomst, als nieuwsberichten binnen het kader van een lens.

Het geheugen heeft voor zover ik kan nagaan geen vaste verblijfplaats in de hersenen, zoals ooit is gedacht, maar huist in afzonderlijke pakketjes die zich overal bevinden. Of het huist alleen in het herinneren zelf, waarbij de herinnering wordt gevormd uit onderdelen van ervaringen die overal in de hersenen zijn opgeslagen. Het geheugen wordt doorlopend gevormd, is een verhaal dat telkens weer opnieuw wordt verteld, waar puzzelstukjes van ervaringen voor worden gebruikt. Het is in bepaalde opzichten volstrekt onbetrouwbaar, want wie kan zeggen of het gevoel of de emotie die bij de herinnering lijkt te horen er werkelijk bij hoort of slechts voortkomt uit de algemene voorraad aannemelijke emoties die ons zijn aangeleerd? Wie kan zeggen of dit beeld juist is en geen beeld is uit een boek of een film, van een plaatje, of uit een ander deel van je leven, dat bij het algemene verhaal schijnt te passen en daarom is geprest om dienst te doen? Het geheugen is niet vals in de zin dat het expres slecht is, maar het is opwindend corrupt door zijn neiging een behoorlijk verhaal van het verleden te maken. Foto's leggen het verleden vast, althans stukjes daarvan. Film en video leggen het verleden nog beter vast door ons bewegingen en stemmen te geven, door steeds minder aan de verbeelding over te laten. Misschien het verschil tussen radio en televisie. Maar volgens mij ontbreekt er dan nog altijd iets van de werkelijkheid van het ervaren moment. Het is vreemd om naar foto's te kijken die je hebt gemaakt van een plek waar je bent geweest. Er is iets essentieels verdwenen, waardoor de foto de indruk wekt dat de ervaring eerder verder dan minder ver weg is.

Ik heb één enkele foto van mijn moeder. Die is genomen toen we in een kamer in Mornington Crescent woonden, nadat we uit Paramount Court waren weggegaan en voordat de maatschappelijk werkers en de psychiaters van University College Hospital me naar kostschool stuurden. We staan samen op Trafalgar Square. Ik zal elf zijn geweest. De foto is genomen door zo'n beroepsfotograaf die toeristen kiekt. Mijn moeder en ik staan schouder aan schouder, met onze armen om elkaars rug geslagen. Ik ben al even lang als zij; ze was net een meter vijftig. Ik sta op de foto zoals ik hoorde te zijn. Mijn haar hangt in vlechten voor mijn schouders en onder aan elke vlecht zit een brede strik. Ik draag een lichte overhemdjurk tot onder de knie en daaroverheen een vestje. Ik heb sandalen met een riempje aan, dus moet het een zonnige dag zijn geweest, maar desondanks zijn mijn handen in korte witte handschoenen gestoken. Heel chic, heel mooi, zal mijn moeder hebben gedacht. Zij draagt een gebloemde jurk met ceintuur, die net als al haar jurken bijna op haar enkels hangt om het litteken op een van haar benen te verbergen, het gevolg van een auto-ongeluk dat ze voor mijn geboorte had gehad. Ze heeft donker en kort gepermanent haar en ze heeft net als ik korte witte handschoenen aan. Er lopen duiven om ons heen en het plein is bezaaid met mensen in zomerjurken en hemdsmouwen. De zwart-witfoto is natuurlijk vervaagd en onze gezichten bevinden zich in de schaduw doordat de late middagzon achter ons staat. Ik heb een lang hoekig gezicht; het hare is ronder – hartvormig noemde ze het, nu ik erover nadenk –, maar haar trekken hebben iets scherps. Ze glimlacht recht in de camera, een glimlach voor het nageslacht, een moeder die het fijn vindt om met haar dochter samen te zijn. Ik houd mijn hoofd iets naar beneden, met mijn kin naar mijn borst, en ik besef nu dat ik opkijk met de opwaartse blik van de prinses van Wales: verlegen of sluw, dat is moeilijk te zeggen. Ik geloof dat er een zweem van een glimlach op mijn gezicht ligt, maar het bevindt zich meer in de schaduw dan dat van mijn moeder, waardoor het nogal moeilijk is vast te stellen. Aan onze voeten vormen onze schaduwen, die zich ononderbroken door duiven op de grond uitstrekken, één enkele lange vlek op het verder zonnige macadam. Het is een versmolten schaduw, want we staan zo dicht naast elkaar dat de zon niet tussen onze lichamen door kan glippen. Haar schaduw en de mijne vervagen samen tot een verenigde vorm, zijn even onlosmakelijk met elkaar verbonden als de krakerige film van Shackletons mannen aan hun navelstreng, die de Endurance door de ijsschots probeerden te trekken.

Toen deze foto werd gemaakt, was ik net vier à zes weken in een gemeentelijk tehuis geweest, ergens aan zee. Ik weet niet meer waar, maar ik herinner me dat ik met een sliert kinderen twee aan twee over de kliffen liep, met de zee rechts van me. Mijn moeder was door de maatschappelijk werker ingeschreven bij de sociale dienst en had de zitslaapkamer gevonden. Men had haar er ook van overtuigd dat het goed zou zijn als ik naar kostschool ging. Een progressieve, gemengde, vegetarische, particuliere quakersschool die een paar probleemkinderen accepteerde voor wie de gemeente betaalde, omdat ze te intelligent werden geacht voor de school voor moeilijk opvoedbare kinderen. Het was niet zo'n succes. Mijn moeder verscheen om de haverklap bij de school in Hertfordshire om tegen mij of de schoolleiding te gillen dat ze me bij haar vandaan hielden en dat ik haar in de steek liet. Na anderhalf semester vroeg de school me of ik wilde weggaan omdat men zich geen raad wist met de overlast die mijn moeder gaf. Later, op mijn dertiende, nadat ik mijn verdwenen vader had gevonden en bij hem was gaan wonen, ben ik naar de school teruggegaan, omdat ik tot mijn bittere teleurstelling had ontdekt dat mijn vader niet de man was die ik me herinnerde. Dat was evenmin een succes. Die keer was het mijn eigen schuld dat ik na anderhalf jaar wegens onhandelbaarheid in het algemeen van school werd gestuurd. Daarna in een snelle opeenvolging naar mijn vader in Banbury, een fiasco, vervolgens naar mijn moeder, eveneens een fiasco, toen naar de inrichting in Hove.

Op de foto van mijn moeder en mij op een zonnige dag op Trafalgar Square is daarvan niets te zien, werpt dat alles geen enkele schaduw vooruit, behalve misschien in onze donkere gezichten, maar dat is natuurlijk louter achteraf geredeneerd.

Ik vroeg me ook af of het nog mogelijk was iets voor het eerst te ervaren. Als er een moment van verwondering was, lag het in de verbazingwekkende nabijheid van de werkelijkheid die ik al op andere manieren had gezien. Wanneer ik naar de zee keek, moest ik soms de films die ik had gezien van me afschudden, het gevoel dat ik het me herinnerde zonder dat ik het werkelijk zelf had ervaren. Ik had zo'n zee al heel vaak in films, op de televisie en op foto's gezien. De zee aan de andere kant van het raam in mijn hut leek sterk op die plaatjes. Het was, nou ja, een kopie. En nu waren we allemaal bezig films te maken van iets waar we al films van hadden gezien, waardoor onze kinderen en kleinkinderen en onze vrienden het evenmin zelf voor het eerst zouden zien. En als ze ooit naar vreemde oorden zouden gaan, zou het net als voor ons zijn om een bevestiging te krijgen van wat al bekend is. Om opnieuw in de natuur te zien wat al in stereo, met geluid rondom, in kleur en op breedbeeld was gehoord en gezien.

Maar ik had het toch zeker prachtig gevonden om Hurley's film van de expeditie van de Endurance te zien? Had ik niet het gevoel gehad dat ik door een sleutelgat regelrecht in het verleden keek? De vorige avond had ik het nog een voorrecht gevonden. Dat was precies wat de plaatjesschieters aan het doen waren. Herinneringen vastleggen, niet alleen voor zichzelf, want in hun verbeelding zagen ze hun kinderen en kleinkinderen vast al kijken naar het huidige moment dat hun voorouders voor hen hadden meegenomen. Ponting heeft Scott, Wilson, Oates en Bowers een nacht tijdens de uiteindelijke poging om de zuidpool te bereiken, laten naspelen. Ze zetten een tent op, koken hun potje, roken, maken grapjes en nestelen zich voor de nacht in hun slaapzakken van rendierbont, allemaal op klaarlichte dag bij Kaap Evans, ruim voor hun vertrek voor de werkelijke poging, waarvan niemand is teruggekeerd. Dat maakt het heel vreemd om ernaar te kijken. Die mannen, van wie je weet dat ze weldra zullen sterven, die spelen hoe het had moeten gaan, in plaats van hoe het zou gaan – een beetje overdreven, vol opgelaten vrolijkheid. Maar het echte drama van hun dood is slechts vastgelegd door hun eigen stijve woorden, die zorgvuldig waren opgesteld om te zorgen dat men zich hen in de toekomst op de juiste manier zou blijven herinneren. Wat een tijdje is gebeurd. Een camera zou Scotts driftbuien hebben vastgelegd en zijn woede omdat Oates het definitieve offer niet op tijd had gebracht. Die zou de ruzies van de mannen hebben laten zien over de vraag of ze dokter Wilsons morfinetabletten wel of niet moesten innemen en of die tabletten ook inderdaad waren ingenomen. Die had wellicht feilbare, bange mannen aan het eind van hun Latijn laten zien. Daardoor zou de ene generatie een mythe zijn kwijtgeraakt en een andere generatie van de voldoening zijn beroofd die mythe te ontmaskeren.

Maar fotografie doet meer dan het heden uit de weg schuiven en je geheugen wellicht onbetrouwbaarder maken dan ooit. Fotografie verovert ook een hoekje van de wereld, verandert het in particulier terrein en berooft anderen van hun recht op toegang. Fotografie is een moderne vorm van kolonisatie op zeer kleine schaal. Er dwaalden ongeveer zeventig mensen rond over de verlaten plek, met meer dan genoeg ruimte en talloze plaatsen om naar toe te gaan. Ze vormden geen menigte. Maar ik moest, evenals anderen, doorlopend bukken en wegduiken om het driehoekje aarde te vermijden dat de gerichte lenzen aan het vastleggen waren. De wereld werd overal om me heen gekiekt. 'Pardon' en 'Neem me niet kwalijk' verontschuldigden we ons tegenover elkaar als we over de onzichtbare grens stapten die elke fotograaf had. Soms werd me gevraagd dat particuliere stukje wereld te betreden om mee te werken aan de film of de foto, maar dan moest ik me netjes gedragen of moest ik poseren en kon ik niet gewoon rondlopen. Als er genoeg fotografen op de juiste plekken stonden, kon ik vrijwel nergens lopen zonder het gevoel dat ik me opdrong. Vreemd. En ik verontschuldigde me er oprecht voor als ik in de weg stond. Ik wilde niemands foto bederven. Toch was dit stuk wildernis van niemand en is het leuke van wildernis juist dat je er onnadenkend doorheen kunt dwalen. Nu was Grytviken verkaveld alsof er zeventig hekken stonden in plaats van dat ene exemplaar op de lagere bergkam waar ik naar toe wandelde.

'Hé, Jenny, wil je even bij die stier gaan staan; dan kan ik de verhouding laten zien,' riep Grote Jim, wiens camera bij zijn formaat paste. Ik deed wat hij vroeg, dan konden de mensen thuis bij Palm Springs zien hoe kolossaal de zeeolifanten in het subantarctisch gebied zijn. Ik neem aan dat ze ook zullen zien hoe Londenaren van middelbare leeftijd er op een zonnige dag op Zuid-Georgië uitzien.

'Wie is dat, Jim?'

'Een van de reizigers. Een Engelse. Een echt cockney-accent. Ze zei dat ze een boek schreef.'

Precies. En dit is mijn manier om de wereld te koloniseren. Hallo, Jim.

Ik kwam John uit Phoenix tegen toen hij de heuvel af liep en ik op weg was naar het witte hek daarboven. Hij schudde zijn hoofd naar me, sprakeloos door het verwezenlijken van een droom. Het kleine hek omsloot de begraafplaats van Grytviken, waar walvisvaarders uit het verleden lagen begraven onder keurige witte zerken. Twee waren er in 1910 aan difterie overleden, een stuk of tien anderen in 1912 aan een tyfusepidemie. Anderen zijn waarschijnlijk bij ongelukken omgekomen of gestorven aan de gevolgen van drank. De zielzorger van de in 1913 gebouwde kerk heeft toegegeven dat het godsdienstige leven bij de walvisvaarders veel te wensen overliet. Ik was, net als John, de heuvel op gelopen om Shackletons graf te zien en dat sprong er ogenblikkelijk uit door de grote uitgehouwen granieten zuil, met daarin de uitgebeitelde woorden *Ernest Henry Shackleton, Ontdekkingsreiziger,* en door de verse alpiene bloemen die er lagen. Mijn blik werd echter getroffen door een ander graf, dat loodrecht op dat van Shackleton stond. Het had een lage witte steen, maar in tegenstelling tot de rest stond er een ruw houten kruis boven. Op dat graf lagen ook verse roze bloemen en het was het enige andere graf dat regelmatig en zorgvuldig was verzorgd. De woorden die in het houten kruis waren gebrand luidden:

RIP
FELIX 26.04.82 ARTUSO

Onder de horizontale balk van het kruis, onder de naam, was een klein rechthoekje geschilderd, bestaande uit een enkele witte streep tussen twee lichtblauwe strepen. De ongelukkige Felix was nog niet zo lang geleden overleden en het drong ineens tot me door dat het rechthoekje de Argentijnse vlag was. Ik was vergeten dat Zuid-Georgië betrokken was geweest bij de Falklandoorlog. Nu herinnerde ik me dat twee vrouwelijke biologen de hele oorlog hadden vastgezeten in een van de verlaten baaien, waar ze pinguïns hadden gefilmd en zich hadden schuilgehouden, maar verder kon ik me nauwelijks iets herinneren van wat er was gebeurd. Ik probeerde het me onderweg naar beneden weer voor de geest te halen terwijl ik me verbaasde over Felix en zijn keurige graf. Bij het museum zaten twee soldaten op de trap die naar de ingang leidde. Ik zei 'hallo' terwijl ik hen passeerde.

'U bent Engels,' verklaarde een van hen, zoals een Britse schipbreukeling zijn redder met extra vreugde kan begroeten. 'Er komen er niet veel van ons op Zuid-Georgië. Het is een waar genoegen uw accent te horen.'

Hij was halverwege de twintig en heette Andy – zijn vriend heette Scot en ik moest goed onthouden dat dat met één 't' werd geschreven. Hij wilde heel graag praten. De twee mannen hadden allebei een geweer aan hun voeten liggen. Een SA80, vertelden ze me. Ze zaten bij de genie en waren vijf maanden in Zuid-Georgië gestationeerd. Dit was Andy's tweede stationering. Daarvoor was hij in Noord-Ierland geweest. Dit was een nogal saaie post, legde hij uit. Het was net uit met zijn vriendin, maar dat nam hij haar eigenlijk niet kwalijk. Elf maanden is een hele tijd om bij elkaar vandaan te zijn en elkaar trouw te blijven, gaf hij toe. Andy kwam uit Southend; Scot, een jongere man van weinig woorden, uit Hemel Hempstead.

'Waarom patrouilleren jullie met geweren?' vroeg ik.

'We zorgen ervoor dat ze gezien worden,' zei Andy.

'Door wie?'

'De Argies. Het gerucht gaat dat de troepen hier ongewapend zijn, dus maken we ze zichtbaar.'

Ik keek de baai rond, die afgezien van de twee halfgezonken walvisvaarders en het witte schip dat op onze terugkeer wachtte verlaten was.

'Wie kijkt er?'

'Spionnen op de schepen. We moeten hun laten weten dat er niet met ons valt te spotten.'

'Ik dacht dat de Argentijnen de Falklands aan het opkopen waren.'

'Ik denk dat ze ze liever voor niks hebben. Ze hebben elke boer op de Falklands een miljoen pond geboden. Ze zeggen dat ongeveer de helft bereid is op het aanbod in te gaan. Maar dat zou onze regering nooit toestaan, ook al waren alle eilandbewoners ervoor. Het is een principekwestie.'

Dat wist ik nog zo net niet. Ik begreep dat het voor de bewoners van de Falklands verleidelijk was om een miljoen pond voor hun winderige, afgelegen schapenboerderijen te kunnen krijgen. Jammer dat het niet in 1982 was gebeurd, dat had ons de nodeloze dood van heel veel mensen en de bezoedelde roem van Margaret Thatcher bespaard. Maar goed, het was niet aannemelijk dat Andy en ik het in politiek opzicht eens zouden zijn en hij verlangde zo naar Brits gezelschap dat ik mijn mond hield. Hij had genoeg van dit saaie leven en had zich ingeschreven voor een cursus mijnopruiming. Na afloop daarvan zou hij naar Bosnië worden gestuurd. Hij was het liefst bij de brandweer van Southend gegaan, maar die had een wachtlijst van twee jaar. Na negen maanden in het leger wilde hij graag iets anders gaan doen.

Ik vroeg hem naar Felix Artuso daar op de heuvel. Hij herinnerde me eraan dat Zuid-Georgië was veroverd door een klein groepje Argentijnse soldaten dat zich voor schroothandelaars had uitgegeven. Veertien mariniers hadden zich schuilgehouden en hen vervolgens verdreven. Daarbij waren volgens Andy vijftien Argentijnen omgekomen, hoewel het officiële aantal drie was. De jonge Felix Artuso was een van hen geweest. Een marinier had ineens tegenover hem gestaan en in de veronderstelling dat hij naar zijn geweer greep als eerste geschoten. Achteraf was gebleken dat Felix ongewapend was geweest.

'Die dingen gebeuren nu eenmaal in een oorlog,' zei Andy treurig, die vol respect over Artuso sprak, als over een gesneuvelde kameraad. 'Zijn ouders wilden dat hij op Zuid-Georgië werd begraven. De Britten hebben hem met militaire eer begraven. Zo doen we dat.'

Sinds de oorlog waren er drie soldaten op Zuid-Georgië omgekomen. Een had zijn rantsoen van twee blikjes bier per avond opgespaard om zich op vrijdag te kunnen bezatten en had gedacht dat hij de baai kon overzwemmen. Hij was in ongeveer zeven minuten doodgevroren. Een ander was ook dronken geworden en was tijdens een onverstandige wandeling midden in de nacht gevallen en doodgegaan van de kou. En een Ier van de commandotroepen had de kou en zijn verwondingen niet overleefd toen hij in zijn eentje een van de bergen had proberen te beklimmen.

'De verveling krijgt je te pakken,' legde Andy uit. 'Het was echt leuk om even met iemand van thuis te praten.'

Zijn walkie-talkie kraakte en er werden militaire bevelen doorgegeven. Het was ongetwijfeld tijd voor een volgende mars voor het geval de spionnen keken. Ik dwaalde het museum in, dat vol stond met zwarte ijzeren heksenketels en gereedschap om walvissen te slachten. Mijn medereizigers lieten afkeurende geluiden horen en wendden hun blikken af van de kaarten waarop walvissen werden geflenst. De winkel verkocht ook T-shirts, theedoeken, asbakken en landkaarten om te bewijzen hoe ver weg ik was geweest. Ik kocht diverse T-shirts met bonte koningspinguïns voor Chloe en haar vriendinnen die voor de flat zorgden. Ze zouden ze niet dragen, maar voldaan zijn dat ze iets hadden wat van zo ver weg kwam. Beter dan een theedoek. Voor mezelf kocht ik drie dezelfde kaarten van Shackleton, met een scheiding in het midden en zijn haar tegen zijn hoofd geplakt, kennelijk niet helemaal op zijn gemak voor de camera, maar op een ruwe manier heerlijk knap. Hij zag er even schurkachtig uit als hij schijnt te zijn geweest. Een beetje een oplichter, die met de Endurance op expeditie was gegaan voor al het geld werkelijk beschikbaar was geweest en het aan anderen had overgelaten de puinhoop te ontwarren. Hij was op zijn innemende Ierse manier ook een soort charmeur geweest. Broeder Frank was tot het uiterste gegaan en had zelfs gevangengezeten omdat hij de Engelse aristocratie had beduveld. Ik bleek inmiddels echt een zwak voor Shackleton te hebben.

Ik kreeg bijna ruzie met een strenge Engelse vrouw over de vraag of Scott Shackleton terecht had verboden de McMurdobaai te gebruiken als basis voor diens poging de zuidpool te bereiken. Scott had de baai tijdens zijn eerste expeditie ontdekt en hij haatte Shackleton: geen heer en te populair bij de manschappen. Shackleton, die zijn woord had gegeven, had het vreselijk gevonden toen hij door levensgevaarlijke weersomstandigheden in de McMurdobaai had moeten ankeren. Welk recht had Scott gehad om een andere ontdekkingsreiziger het gebruik van een baai in Antarctica te verbieden? 'Het volste recht,' zei mijn Engelse metgezel streng. 'Hij had de baai ontdekt. Die was van hem.' Er dreigde een heuse Scott-Shackletonvete uit te breken toen ik volhield dat het schandelijk van Scott was geweest om zo kleinzielig te zijn. 'Je moet je woord houden,' zei mijn tegenstandster, wat mij uitnodigde haar scherp van repliek te dienen over een woord dat onder dwang was gegeven en niet te houden was in levensbedreigende omstandigheden, maar ik wist dat ik me op glad ijs bevond bij deze bijzonder sterke gevoelens over mannen die allang dood waren. Ik wenste geen sterke gevoelens over hen te hebben.

Het begon te regenen en de lucht betrok. De heerlijke zonneschijn werd ogenblikkelijk iets uit het verleden. Ik begon in te zien dat het weer in deze streken verbazend veranderlijk kon zijn. Toen de wind opstak, was Grytviken ineens een somber, verlaten oord. Ik begon me voor het eerst koud en nat te voelen. Dat gebeurde van het ene op het andere moment. Er voer een kleine rilling van naargeestigheid door me heen die niet louter met het weer in verband stond. Ik was heel blij dat ik met een van de eerste zodiacs mee terug kon naar hut 532. Mijn eerste bezoek aan land was wit noch eenzaam geweest.

's Middags was de wereld industriegrijs geworden. Tijdens de lunch voer het schip slingerend door een woelige zee een stukje naar het zuiden, naar de St Andrew's Bay, voor de tweede landing die op het programma stond. Terwijl we ons op het dek bij de valreep opstelden, werden we drijfnat van de wind en de regen, die onze water- en windbestendige plunje voor het eerst op de proef stelden. Onder aan de valreep lagen de zodiacs als bokkende pony's te stuiteren op de uitgesproken ruwe golven. Dit was een totaal andere ervaring dan de landing van die ochtend. De kleur van de lucht en de zee was verduisterd tot een uniforme staalgrijze tint. Het was alsof de zon nooit had geschenen en nooit meer zou schijnen. Wind en golven dansten een boze pas de deux en de regen stak van opzij. Butch stond heldhaftig en ernstig op het deinende bordes van de valreep door zijn holle handen boven de wind uit naar de bestuurder van de eerste zodiac te schreeuwen. Het was nog maar de vraag of we wel aan land zouden gaan. De windsnelheid had kennelijk bijna het maximum bereikt dat nog voor een landing was toegestaan. De wind liet de zee beslist heel woest tegen de zijkanten van het schip en over de zwarte rubberranden van de zodiacs slaan. De regen priemde scherp in het gezicht terwijl we stonden te wachten tot er een besluit werd genomen.

We zouden gaan. De St Andrew's Bay was het grote pinguïnevenement van de reis. We werden gewaarschuwd dat we minder tijd aan land zouden krijgen als het nog harder ging waaien. De valreep was nat en glibberig en zwaaide op en neer. Beneden werd de zeemanshand dankbaar aanvaard en bewees die zijn waarde toen ik voorzichtig over het winderige niets in de glimmend natte zodiac stapte. We keken nu niet naar de zee, maar zaten erbovenop, bevonden ons op haar niveau en rezen en daalden bij elke golf. Terwijl ik wachtte tot de anderen in de boot zaten, zorgden de lagen waterbestendige kleding dat ik droog bleef en het niet bijzonder koud had, met uitzondering van mijn gezicht, dat drijfnat en ijskoud was van de regen en tintelde door de wind. Het begon op een avontuur te lijken toen Marjorie arriveerde, met een enigszins verontrust gezicht, en naast me op de rand van de zodiac ging zitten, waarna we het touw vastgrepen dat vlak achter ons liep. Het kostte ongeveer een kwartier om de kust te bereiken, waarbij de rubberboot moest laveren en zwenken om de ergste tegenwind te vermijden. Desondanks ving de verhoogde voorkant van de boot om de paar minuten een boze golf op die ons overspoelde. De rand waarop we zaten was heel breed, maar leek niet breed genoeg terwijl we door de inmiddels stormachtige zee slingerden en soms sprongen. We moesten ons hoofd gebogen houden om niet verblind te worden door de regen en het buiswater. Maar het was de opwindendste tocht die ik ooit heb gemaakt, snel en razend, terwijl de motor boos bromde tegen de wind, die langs mijn oren huilde en zilte tranen uit mijn ogen liet lopen, even zout als het buiswater dat over mijn gezicht stroomde. We waren er zo dichtbij, waren innig verbonden met de beweging van de golven, het weer en de Zuidelijke IJszee. Als ik niet in mijn kooi lag of op de brug stond te staren, wilde ik dit doen. Af en toe klapten we tegen een grote golf op en lachte ik hardop.

Toen we de enigszins beschutte baai naderden, nam de wind iets af en konden we ons hoofd opheffen en recht naar het land voor ons kijken. We werden in de gaten gehouden. De lange kustlijn en het strand zagen helemaal tot aan de gletsjer en de bergen zo zwart van de pinguïns dat ze een aaneengesloten tapijt vormden. Een legioen zwarte koppen en oranje snavels wees naar zee, was onze kant op gericht, ogenschijnlijk om onze aankomst te bekijken. De St Andrew's Bay is een beroemd broedgebied van honderdduizend koningspinguïns – ik weet niet wie ze heeft geteld, maar ik zal het niet tegenspreken – en daar waren ze allemaal, daar stonden ze in gesloten gelederen zonder enige nieuwsgierigheid te kijken hoe zes zwarte rubberboten op hen af voeren. Voor ons leek het of ze keken, maar aan de andere kant zouden ze daar, ongeacht de kwantumfysica, ook met z'n allen naar zee hebben staan kijken als wij de kust niet waren genaderd, als de zee verlaten was geweest. Dat doen pinguïns nu eenmaal. Staan. Er staan al duizenden, bij mijn weten al honderdduizenden jaren lang elk jaar honderdduizend pinguïns op dat strand, waar ze paren en eieren uitbroeden. Op een dag, ongeveer eens per jaar, naderen er zwarte rubberboten en komen er een paar mensen in de baai, die geloven dat de pinguïns naar hun komst kijken. Voor de pinguïns is het gewoon de zoveelste dag van staan en staren. Ze hadden geen enkele belangstelling voor onze nadering. Het was een natte landing in ijskoud water dat tot onze knieën kwam, waarna we het rotsachtige land op klauterden. De pinguïns weken iets uiteen om ons door te laten, maar stonden nog steeds naar zee te kijken. In feite heeft een pinguïn op het land slechts de neerschietende grote jagers te vrezen, die door de lucht op hun eieren en jongen af duiken. Het gevaar komt van boven, niet vanuit zee of vanaf land. Mensen en hun lawaaiige boten leken helemaal niet tot ze door te dringen. We maakten geen deel uit van hun bestaan, vormden geen duidelijk gevaar en werden daarom genegeerd, volkomen over het hoofd gezien. Je kon zo naar ze toe lopen zonder dat ze er acht op sloegen. Als je in de weg stond wanneer ze over hun paadje van hun nest naar zee waggelden op zoek naar voedsel, bleven ze een paar centimeter voor je voeten staan en trokken in een kleine omweg van een halve cirkel om je heen, zoals ze ook hadden gedaan als er een kei in de weg had gelegen. Als je op je knieën ging zitten om recht in hun ogen te kijken, keken ze terug en draaiden ze je een oog toe, maar zodra ze tot de conclusie waren gekomen wat je niet was, verloren ze al snel hun belangstelling.

Dat tijdloze staan, ongezien en zonder zelf iets te zien, dat door ons, al was het nauwelijks, werd verstoord, sprak me bijzonder aan. Daar ging het voor mij om bij de zuidpool, dat het gebied er gewoon was, er altijd was geweest, er altijd zou zijn, terwijl enorme stukken van het continent onopgemerkt, ongezien de twee seizoenen doorliepen en het ijs langzaam vanuit het midden naar de rand gleed, waar het uiteindelijk zou afbreken. Een plek die ongezien is en dat altijd is geweest. En nu die pinguïns, die gewoon doorgaan met wat ze doen en op hun plek staan. Dan komt er op een bepaalde dag een groep mensen op bezoek, wat in geen enkel opzicht enig verschil maakt. Zuid-Georgië is zo'n uithoek dat er minder mensen komen dan op het vasteland van de zuidpool. Er komen maar een paar honderd mensen per jaar in Grytviken en volgens mij gaan er nog minder in de St Andrew's Bay aan land. Ik hunkerde naar de lijdzaamheid en onverschilligheid van dit landschap en de pinguïns die het bewoonden.

Mijn reisgenoten waren driftig aan het filmen en fotograferen. Het woord 'schattig' viel voor het eerst, maar vermenigvuldigde zich als een echo. Pinguïns zijn ook schattig. Ze hebben in onze ogen een belachelijke waardigheid: rechtopstaande, bedrijvige dieren, die hopeloos zijn ontworpen voor het leven op het land, maar hun handicap blijkbaar beslist willen overwinnen. Ze gaan jachtig waggelend hun gang, marcheren in rechte rijen over vaste paadjes naar zee, op zoek naar voedsel voor zichzelf en hun partner. Maar om de zoveel tijd laten ze de schijn varen, zoals wij zouden kunnen doen als we ons alleen en onbespied wanen, en omdat ze het vervelend vinden een glooiing af te lopen, glijden ze dan op hun buik langs de glibberige helling naar beneden. Balancerend tussen nepwaardigheid en zich laten gaan, lijken ze opvallend veel op karikaturen van ons. Daarom maken ze ons aan het lachen, net als kinderen. Je kunt ervan op aan dat de pinguïns het anders zien, maar als we de kwantumfysica eens in aanmerking nemen, zijn wij het die kijken. Het is onmogelijk om niet antropomorfisch te zijn en ik weet niet zeker waarom we dat zouden proberen. Ik geloof niet echt dat we de pinguïns schaden met onze egocentrische kijk op hen, mits we ze met rust laten om hun eigen leven te leiden. Wij leggen nu eenmaal een verband tussen de natuur en onszelf, zoals pinguïns naar zee staan te staren.

Het was echter vrij duidelijk dat het leven van een pinguïn geen pretje is. De grote jagers cirkelden in de lucht rond, wachtend op een kans om te pakken wat ze maar te pakken konden krijgen. En het staan staren werd bij nadere beschouwing een koortsachtige bezigheid. De kolonie was een en al opgewonden bedrijvigheid. Rijen pinguïns marcheerden over onmogelijk steile hellingen naar de kust en weer terug om hun partner en kroost van voedsel te voorzien. Eenmaal in zee zijn ze een prooi voor de robben. En als de partner niet terugkeert van het voedsel zoeken, zullen de broedende pinguïn en het met moeite verkregen ei omkomen van de honger. Toen ik langs zee begon te lopen, zag ik midden op het strand een lege plek met in het midden een roerloze pinguïn en ongeveer een halve meter verderop een flinke grijswitte grote jager als een toonbeeld van geduld. Ze negeerden elkaar in zoverre dat ze niet naar elkaar keken en geen notitie van elkaar namen. Het leek alleraardigst, twee dieren die zich bij elkaar op hun gemak voelden, werkelijk dat gedoe van de leeuw die met het lam verkeert, tot ik dichterbij kwam en een grote, felrode gapende wond in de zij van de pinguïn zag. De grote jager wachtte tot de pinguïn definitief en onvermijdelijk in elkaar zou zakken, wat hem en zijn jong een gemakkelijke en zeer voedzame maaltijd zou opleveren. Om volkomen antropomorfisch te zijn: het was hartverscheurend om te zien. Het leven als pinguïn is ook niet alles.

Het weer was slechter geworden. Het was nu donker, alsof het avond werd, een schemering die niet voorkomt in deze antarctische zomer. Het leek of de wolken zich maar een paar meter boven ons bevonden; ze waren zwart en zwaar, en bewogen snel, voortgejaagd door de wind. Het zand was zwart, een vulkanisch residu; de klippen rezen donker op; de gletsjer was dofgrijs en de zee had de kleur van leisteen. Een planeet waarvan ineens een dreiging uitging. De wind nam alarmerend toe, waardoor ik niet over het strand wandelde, maar door lucht drong die zich daartegen verzette. Toen de wind aanwakkerde, kon ik er werkelijk tegen leunen, kon ik er onder een schijnbaar onmogelijke hoek tegenaan hangen zonder te vallen. Hij kwam in lange vlagen, die plotseling wegvielen, waardoor ik in de lucht wankelde en mijn evenwicht weer moest hervinden. Hij was niet alleen hevig, maar ook scherp en zelfs eigenzinnig. Hij pakte het zwarte zand op en smeet het pijnlijk in mijn gezicht. En toen begon het echt koud te worden. Het was een vreemde kou, doordat niet zozeer de lucht koud of het koudste was, maar de wind behalve zand ook ijzige vlagen van de gletsjer meevoerde en als scherpe stokken tegen je aan gooide. Dat deed meer pijn dan het zand tegen mijn gezicht. Het regende nu ook niet meer, maar er vloog een combinatie van natte sneeuw, regen en hagel horizontaal langs. Mijn ogen traanden, mijn neus droop en binnen een paar minuten voelde ik een scherpe pijn in mijn linkeroog die naar mijn wang uitstraalde, hoewel het geen pijn was, maar kou zoals ik nog nooit had ervaren. Kou als pijn in plaats van louter ongemak. Tot dan toe had alleen mijn onbeschermde gezicht ervan te lijden gehad. De lagen thermisch zijden ondergoed, de twee paar sokken, het wollen T-shirt, de kasjmier trui, het jack dat geen wind doorlaat en het schuim van mijn zwemvest hadden hun werk gedaan. Maar er werd langzamerhand een bres in de bescherming geslagen. Toen ik vijftien à twintig minuten over het strand had gelopen, begonnen de natte, ijzige windstoten door de lagen kleding heen te dringen alsof ik slechts gaas droeg. Toen ze mijn vlees bereikten, had ik volgens mij enig idee wat het was om het koud te hebben, maar daarna gingen ze nog verder en na een halfuur waren ze mijn huid gepasseerd en regelrecht in mijn botten doorgedrongen. Ik was verkleumd tot in mijn merg en was van top tot teen ijskoud en kletsnat. Het was alsof de wind me had getaxeerd en me geen recht van bestaan gaf, gewoon door me heen gierde. Ik heb me nog nooit van mijn leven zo onbeschermd gevoeld als in dat naargeestige, donkere landschap waar je absoluut nergens kon schuilen. Alleen in dromen waarin je naakt door een drukke straat blijkt te lopen, heb ik me zo kwetsbaar gevoeld.

Maar dit was nog geen echte kou; dit stelde nog niets voor. Apsley Cherry-Garrard heeft het tijdens zijn winterreis om de eieren van de keizerspinguïn te verzamelen over temperaturen van zesenvijftig graden onder nul, wat je niets zegt als je dat in een leunstoel leest, tot hij beschrijft hoe hij een nacht in zijn slaapzak heeft liggen rillen:

Het was voor mij een bijzonder slechte nacht: een reeks rilaanvallen waar ik niets tegen kon beginnen en die mijn lichaam minuten achtereen in hun greep hadden, tot ik dacht dat mijn rug zou breken door de enorme spanning die erop stond. Ze hebben het over klappertanden, maar wanneer je lichaam klappert, kun je pas zeggen dat je het koud hebt. Ik kan de spanning slechts vergelijken met wat ik helaas heb gezien bij een geval van kaakklem.

Cherry-Garrard is niet iemand die overdrijft.

Het heeft me vermaakt om mensen te ontmoeten die zeggen: 'O, in Canada was het vijfenveertig graden onder nul, maar daar heb ík geen last van gehad,' of 'Ik heb in Siberië iets van vijftig graden onder nul meegemaakt.' En dan ontdek je dat ze fijne droge kleren hadden, lekker konden slapen in een goed gelucht bed en slechts na de lunch een paar minuten vanuit een heerlijk warme hut of een oververhitte trein naar buiten zijn gelopen. En daar kijken ze dan op terug als op een gedenkwaardige ervaring. Nou ja! Als ervaring van kou is dat uiteraard slechts te vergelijken met het eten van een dame blanche na een uitstekend diner bij Claridge's. In onze toenmalige toestand begonnen we vijfenveertig graden onder nul echter te beschouwen als een luxe die we niet vaak kregen.

Op het strand in de St Andrew's Bay was het dus niet echt koud, nat en naargeestig. Maar ik voelde me een paar uur lang wel zo. Ik kan erg slecht tegen ongerief. Dan krijg ik het gevoel dat de wereld me heeft verlaten en dat alles is ingestort. Ik vond de kou, de manier waarop die in me doordrong, interessant, maar de naargeestigheid stemde onmiddellijk overeen met iets treurigs in mezelf. Het deed me denken aan de tijd waarin mijn moeder me mee naar buiten had genomen om, zoals zij dat uitdrukte, 'over straat te zwerven', toen we hadden zitten wachten tot we uit onze flat zouden worden gezet. Tijdens het lopen vertelde ze me dat dit verder ons leven zou zijn nu we dakloos waren. Ik herinner me dat ik keek hoe mijn voeten over het glimmende, natte trottoir liepen – we waren op Euston Road, kwamen van het stadhuis waar we geen nieuwe woning hadden kunnen krijgen – met het sterke gevoel dat we nergens meer naar toe zouden kunnen als we eenmaal uit de flat waren gegooid. Dat was een nieuw denkbeeld, het idee om zonder enige bestemming in een Londense straat te zijn. Dat maakte me werkelijk bang. Wanneer ik 's avonds in Londen een taxi zoek, word ik soms overvallen door een onredelijke paniek. Dat is vermoedelijk de angst om nergens naar toe te kunnen van toen ik elf was, die dan weer de kop opsteekt. Plotseling voel ik me van alles beroofd, verloren, en welt er angst in me op, hoewel ik een volwassen vrouw in het centrum van London ben met een centraal verwarmde flat die niet al te ver weg op me wacht. Ik ben een of twee keer op straat in huilen uitgebarsten door de plotselinge zekerheid dat er geen taxi zou verschijnen, dat alle bussen vol zouden zitten, domweg doordat ik daar op straat stond en niet veilig thuis zat. Dat gebeurde er op het strand in de St Andrew's Bay. Een irrationeel moment van pure onbeschutte leegte, en hoewel mijn hart en mijn hele lichaam al koud waren, werden ze nog ijziger door iets anders dan de gevolgen van de kille wind. Aan sommige dingen zal ik nooit ontkomen, zelfs niet in de verste uithoek van de Zuid-Atlantische Oceaan, maar met enige moeite kan ik ze wel herkennen als een passerende wind die door me heen waait en me verkleumt tot op het bot, als een daad van de natuur die niet persoonlijk is bedoeld, in elk geval niet meer. Ik mocht dan huilen op het strand in de St Andrew's Bay, maar het waren tranen die bij een andere tijd hoorden. Het verleden kan me nog steeds laten huiveren, maar er is geen man overboord.

Ik liep een kleine kilometer door, terwijl ik me een weg zocht door menigten pinguïns en de onvermijdelijke zeeolifanten ontweek, en naderde de voet van de gletsjer toen de werkelijkheid me riep. Het bezoek werd verkort. Het schip had per radio gemeld dat de windsnelheid nu zestig knopen was, bijna het dubbele van de veiligheidslimiet voor de zodiacs. Merkwaardig genoeg was ik ondanks mijn neerslachtige stemming kwaad over deze storing. Ik had heel graag de gletsjer willen bereiken; het was weliswaar niet mijn huis, maar toch iets. Toen ik weer terug was gelopen, waren alle zodiacs op een na al op weg naar het schip. De laatste zes passagiers klauterden in de door weer en wind gegeselde rubberboot en we maakten een wilde tocht over een woedende zee, waar ik enorm van opvrolijkte. Het kostte de bestuurder heel veel tijd om ons zo dicht bij het schip te manoeuvreren dat de matroos die op de valreep stond te deinen het touw kon grijpen om ons vast te leggen. Terwijl wij de valreep op wankelden, stond Butch met een verontrust gezicht te wachten tot de laatsten weer met beide voeten op het dek stonden.

Gelukkig had Daniel de bar geopend en een hete drank van rum en room gebrouwen die zo lekker was dat mijn tenen bijna warm werden. Marjorie en ik begaven ons enigszins teut naar de sauna en giechelden in de snikhitte over onze heerlijke middag buiten. Een dame blanche, inderdaad.

Tijdens het diner zat ik bij een clubje van vier Amerikaanse weduwen en gescheiden vrouwen van in de zestig die gezamenlijk de zuidpool deden. Ze waren er op een na allemaal in geslaagd met een onberispelijk kapsel aan tafel te komen en hun goed verzorgde en getrainde lichamen zagen er zonder meer uit of ze een middag hadden geskied. Alleen Barbara was ongelukkig. 'Ik heb nog nooit zoiets vreselijks meegemaakt,' jammerde ze. 'Het was vreselijk!' Door de herinnering eraan kon ze geen hap door haar keel krijgen. Ze was bevangen geweest door de kou en had alleen nog maar kunnen denken dat ze naar bed wilde en daar de rest van de reis wilde blijven. Ze was niet zozeer van streek als wel woedend, door het weer, de angst en het ongerief. 'Hoe hebben jullie me dit kunnen aandoen?' beschuldigde ze haar medeweduwen. Toen ze naar haar kooi was gegaan, bespraken haar vriendinnen haar neurotische aard, maar vol genegenheid. Ze bleek geen weduwe of gescheiden vrouw te zijn. Ze was nooit getrouwd.

'O, dat verklaart alles,' zei Joanie met een hese, veelbetekenende stem. Ze was de slankste, keurigste en vrolijkste weduwe uit Texas die ik ooit heb gezien en had duidelijk een oogje op John uit Phoenix als mogelijke huwelijkskandidaat.

'Maar ze heeft wel relaties gehad,' zei een van de anderen in een poging het te vergoelijken.

Joanie schudde haar hoofd en trok haar mondhoeken naar beneden. Barbara had het duidelijk volkomen verkeerd gedaan.

'Wat heb je daar nou aan?' zei ze schor en we gilden het allemaal uit van het lachen.

De volgende morgen waren er nog meer koningspinguïns. Deze keer niet zo veel, slechts een stuk of tienduizend, maar nu, in de volgende baai, Gold Harbour, met jongen. Eigenlijk hadden ze meer van een rugbybal in een dikke bruine bontjas of van New Yorkers rond kerst, maar dan zonder pakjes. Ze maakten een uitermate behaaglijke indruk. Aangezien het vogels zijn, neem ik aan dat ze met dons bedekt waren, maar het spul deed zo sterk aan bont denken dat ik mijn ogen niet wilde tegenspreken. Er schenen meer kuikens dan volwassen dieren te zijn, die nauwelijks groter, maar beslist een stuk gestroomlijnder waren dan hun nageslacht. Sommige oudere kuikens waren half in de rui, waardoor ze er slordig en sjofel uitzagen, als zwerfsters. Bij een paar waren alleen de kop en nek nog met dons bedekt, waardoor ze een keurig zwart-wit lichaam hadden, zoals een echte pinguïn betaamt, maar vanboven net kleine kinderen met slecht passende bontmutsen en sjaals waren.

De ellende van het ouderschap was voor iedereen zichtbaar, maar werd door de breedtegraad door vrijwel niemand gezien. De jongen rolden onophoudelijk tegen de ouders die met een buik vol krill uit zee waren teruggekomen. De voedende volwassen vogels schenen er weinig voor te voelen het krill af te staan, waren pas na veel fanatiek gestreel van de snavel bereid het in de kelen van de jongen uit te braken. De ouders waren er kennelijk veel meer in geïnteresseerd indruk op elkaar te maken – of, in mijn onverbeterlijke ogen, tegen elkaar te klagen – door hun nek uit te rekken, hun snavel ten hemel te heffen en te krijsen als zwaar beproefde mensen. De herrie, het gerol en gekrijs van tienduizend vogels die nemen en geven, lag op de pijngrens. Er was geen sneeuw, alleen nog meer vulkanisch gesteente en zand vol vogelpoep. De stank lag ook op de pijngrens. De afvalproducten van duizenden vogels, die alles lieten lopen waar ze stonden, produceerden een stank zoals ik nog nooit had geroken. Terwijl natuurbeschermers zich zorgen maken over de bezoedeling van de ongerepte wildernis, worstelde ik met mijn maag om niet te bezwijken voor de zure, naar vis stinkende walmen van deze afgelegen, onvervuilde baai. De omgeving was nog steeds niet wit en beslist niet vredig.

Het stukje varen was probleemloos en zonnig geweest, maar zodra we aan land gingen, werd het bewolkter en kouder en betrok de lucht steeds meer. Dat begon kennelijk een vaste regel voor landingen te worden. Over het weer kon je echter maar beter niet antropomorfisch doen, want er was al genoeg om antropomorfisch over te doen. De meeste pinguïns stonden tot aan hun enkels – of wat bij een pinguïn voor een enkel doorgaat – in een grote plas moerassig water, terwijl andere zich aan weerszijden bevonden van een snelle beek die van de smeltende gletsjer op de hoger gelegen klippen neerstroomde. Aan de landkant van het strand was een stuk beemdgras, waarop gentoopinguïns, kleiner en louter zwart-wit, de klassieke pinguïn, op eieren zaten en nesten bouwden en herbouwden. Ze waggelden rond over modderige heuveltjes bij het moeras en probeerden ondertussen op de been te blijven en de modder en het losse gras in hun snavel niet te verliezen. Op een eenzame heuvel beemdgras zat een reuzenstormvogel als een standbeeld op haar nest, schrikbarend groot en heel onwerkelijk. Een enorme, grijswitte vogel met een kromme snavel ter lengte van mijn onderarm, die haar kop deze en gene kant opdraaide, speurend naar gevaar, maar die zich blijkbaar niet bekommerde over mensen die dichterbij kwamen om een kiekje te maken. Er stak een klein wit kopje onder haar massieve onderstel uit. Het bewoog niet en de oogjes waren dicht. Misschien was het dood. Op het strand lag een compleet skelet van een rob aan mijn voeten, dat werd genegeerd door de omringende pinguïns. Aan de botten en schedel mankeerde niets en de vinnen waren nog intact, maar de huid lag om de botten heen als een opengeritste slaapzak die is blijven liggen waar hij is neergevallen.

Verderop was een kolonie zeeolifanten. Terwijl ik erheen liep, besprong een zware stier een koe, of eigenlijk liet hij zich op haar vallen, waarop zij een luidruchtige klacht uitboerde over zijn opdringerige gedrag, maar zich niet verroerde. Iemand riep naar me en toen ik me omdraaide zag ik een nog grotere stier aankomen en met een merkwaardig efficiënte vaart en een slingerende neus voortzwalken, vervuld van een dringende kwestie. Ik ging precies op tijd voor hem uit de weg. Hij wilde me geen pijn doen; hij zou me gewoon onder de voet hebben gelopen. De bewoners van deze wereld hadden slechts oog voor één ding tegelijk. De andere stier, groot genoeg, maar kleiner dan de indringer en met een minder ontwikkelde neus, smeerde hem zodra het geweldige beest hem tot op een paar meter was genaderd. De kolossale stier nam zijn rechtmatige plaats in op de koe, die geen duidelijke reactie vertoonde, alleen opnieuw een zinloze klacht uitboerde. De kleinere stier schuifelde weg terwijl hij af en toe met een norse blik omkeek. De mensen van onze groep die hiervan getuige waren, schudden zwijgend het hoofd – de vrouwen, bedoel ik; de mannen hadden een totaal andere blik in de ogen.

We zouden die middag nog ergens aan land gaan, maar Butch zat met een probleem. We stonden aan dek te wachten terwijl de grote blanke jager in zijn zodiac rondzoefde op zoek naar een landingsplek in Cooper Bay, de laatste plaats die we in Zuid-Georgië zouden aandoen. Hij kwam terug om mee te delen dat we niet op het beoogde strand aan land konden gaan omdat dat vol pelsrobben lag, maar dat hij weer wegging om langs de kust een ander strand met minder robben te zoeken. Pelsrobben zijn kennelijk gevaarlijk. Ze bewegen snel en vallen mensen aan, vooral wanneer ze, zoals op dat moment, jongen hebben. Butch legde uit dat als we op een uitdagende pelsrob stuitten, we ons niet als een haas uit de voeten moesten maken, maar moesten blijven staan om hem te imponeren. Dat deed je, zo liet hij ons zien, door je hoofd en nek zo ver mogelijk naar voren te steken en je handen met gespreide vingers naar voren te duwen.

'Dat zal ze mores leren,' mompelde Marjorie, terwijl de rest een glimlach onderdrukte.

Een Texaan op cowboylaarzen, die samen met zijn kindvrouwtje van middelbare leeftijd reisde, draaide zich tijdens het wachten naar me toe.

'Hoe maak je het? Ik ben zanger en tekstschrijver,' deelde hij me mee. 'Merrill is de naam en dit is mijn geliefde Billie. Is dit niet de meest opwindende reis die je je kunt bedenken? Hou je van muziek?'

Ik glimlachte naar Billie, stemde met de eerste vraag in en beantwoordde de tweede ook bevestigend.

'Wat vind je van Hoagy Carmichael?' vroeg hij en terwijl hij het ritme tikte op de reling van het schip dat zich midden op de Zuid-Atlantische Oceaan bevond, keek hij me recht in de ogen en zong zachtjes 'Stardust':

Sometimes I wonder why
I spend the lonely nights
Dreaming of a song...

Dat moment was het waard om een half leven op te wachten en een reis naar het eind van de wereld voor te maken, ook al was ik van top tot teen in water en wind bestendige kleding gehuld en had ik tranende ogen en een druipneus. Ik zong het refrein mee:

The melody haunts my memory...

'Was dat niet fantastisch?' grijnsde Merrill.

'Echt fantastisch,' stemde ik met hem in.

'Hier is mijn kaartje. Als je ooit in Texas bent, moet je Billie en mij komen opzoeken. Vergeet het niet.' Hij gaf me een gedrukt kaartje uit de zak van zijn anorak. Daarop stond:

Merrill Moxon
Cowboyliedjes – Cowboyverhalen
Gitaarmuziek, Zang en Meezingers

Ik had mijn ongerijmde volmaakte moment gehad en vond dat ik lang genoeg had gewacht op de terugkeer van Butch met de mededeling dat we al dan niet nog meer pinguïns of zeeolifanten konden gaan bekijken, dus begon ik te peinzen over de genoegens van hut 532, Melville en mijn tekstverwerker.

'Ik ga,' zei ik tegen Marjorie, ging naar het modderhok om alles uit te trekken wat ik had aangetrokken en keerde met een zucht in mijn hut terug. Ik bracht een genoeglijke middag door met slapen, lezen en schrijven. Marjorie en de anderen zijn uiteindelijk toch aan land gegaan. Butch kwam terug toen hij een pelsrobbenvrij strand had gevonden, waardoor de zojuist geleerde robbenverdrijvende technieken niet konden worden uitgeprobeerd. Maar wie weet wanneer die nog eens van pas komen.

Die avond zat ik tijdens het diner naast Irma. Ze was een jonge vrouw van in de twintig die alleen reisde en tijdens de reis ook alleen was gebleven. Ze was griezelig mager, had een strak, humeurig gezicht en een onthutsende stijl van kleden: ze droeg babyroze angoratruien en sweatshirts met schattige tekenfilmdieren. Haar lange blonde haar werd à la Alice in Wonderland door een roze of blauw lint keurig bijeengehouden en aan boord pronkte ze met donzige slippers. Ze keek altijd zuur, wat een tegenstelling vormde met de zoetheid van haar kleurenschema. Ze wekte de indruk dat ze een extreem superieur klein kind was dat met niemand contact wenste. Dus zat ik tijdens het diner uiteraard naast haar.

Ze stelde zich lusteloos voor en legde uit dat ze bezig was met een postuniversitaire studie, alsof dat een excuus was om niet met de rest van de tafel te hoeven praten – we zouden ongetwijfeld niet in staat zijn een dialoog met iemand als haar gaande te houden. Iemand aan tafel zei dat ik schrijfster was. Ze keek vermaakt en vroeg laatdunkend of er ooit iets van me was gepubliceerd. Toen ik – met evenveel kinderlijke voldoening – antwoordde dat ik een stuk of zes romans had geschreven en toen zij had vastgesteld dat dat echte boeken waren die door echte uitgevers waren uitgegeven, richtte ze haar volle aandacht op mij, waarbij ze alle anderen negeerde, en legde uit dat ze met een proefschrift over Conrad bezig was en dat er een Conrad-specialist in Londen was, een zekere X; had ik ooit van hem gehoord? Ik bleek hem vaag te kennen. Daarop keek ze een beetje ongerust en legde uit dat ze door bepaalde persoonlijke problemen tijdelijk was opgehouden en dat ze al ongeveer tien jaar met het proefschrift bezig was. Ze was niet zo jong als de angoratruien suggereerden.

'Ik ben met deze reis meegegaan, omdat ik het als Canadese belangrijk vond om naar de noordpool te gaan, een kwestie van nationale solidariteit. Toen was ik ziek, maar nu heb ik het spaargeld voor mijn proefschrift uitgegeven en daarom zal het zo lang duren voor het klaar is, vanwege mijn reis naar de zuidpool, omdat het belangrijk is om je solidariteit met de planeet te tonen. De ozonlaag, weet je wel?'

'Absoluut,' zei ik, maar niet erg overtuigend, want de verdere maaltijd verliep in stilte. We aten die avond biefstuk. Irma was twintig minuten uiterst geconcentreerd bezig haar vlees in volmaakte dobbelsteentjes van een centimeter te snijden, waarvoor ze de ongelijke kant bijwerkte en haar mes en vork hanteerde als dissectie-instrumenten. Toen die taak voltooid was, schoof ze de dobbelsteentjes over haar bord heen en weer om hier en daar een lege plek te laten ontstaan alsof er wat vlees was opgegeten. Vervolgens legde ze klokslag halfzeven haar mes en vork keurig op het bord neer, veegde de puntjes van haar parelmoerroze gelakte nagels en haar getuite mond met een servet af en zei dat ze het toetje maar zou overslaan omdat ze naar haar hut moest gaan om over Conrad na te denken.

'Goedenavond,' zei ze met een vorstelijk knikje naar mij, maar naar niemand anders aan tafel.

.'Welterusten,' antwoordde ik.

'Dat kind eet nog minder dan een vogel,' zei Billie Moxon, die tegenover me zat, met een temend zuidelijk accent.

Merrill was diep in gesprek met zijn buurman, legde uit wat het inhield om tot de broederschap van de Shrine te behoren.

'In onze stad is eens een kind zonder heup geboren. Hij hoorde niet bij de Shrine of wat dan ook, maar we hebben desondanks geld opgehaald om hem te laten helpen. En als er nu een grote vergadering is, geeft de vader van dat kind uit dank iedereen gratis te eten.'

Nu volgden er gelukkig weer twee dagen van varen door de verlaten oceaan terwijl we Zuid-Georgië verlieten en door de Scotiazee afkoersten op het eiland Paulet van de Zuid-Shetlandeilanden.

De beste kinderwagen van de stad

MEVROUW ROSEN Je was een heel, heel lief meisje.

MENEER ROSEN Je bent nog steeds lief.

IK Niet lief. Ik niet.

MEVROUW ROSEN Nee, nee, nee, nee – na alles wat je hebt meegemaakt, lieve help. En later, toen we de ruzies hoorden, of ervan hoorden...

IK Hoorde u ze?

MEVROUW ROSEN Je had er last van, want je was op van de zenuwen.

IK Hoe bedoelt u?

MEVROUW ROSEN Nou...

MEVROUW GOLD Ongedurig.

MEVROUW ROSEN Ja, het greep je aan. Het greep je aan.

IK Zenuwtrekkingen?

MEVROUW GOLD Zenuwtrekkingen, ja.

MEVROUW ROSEN Ja

IK Ik had allerlei tics.

MEVROUW ROSEN Wist je dat? Ik wilde het niet zeggen, maar het is een feit... Je had er last van doordat je eerlijk gezegd gewoon niet wist waar je aan toe was. Het moet afschuwelijk voor je zijn geweest. Want ik herinner me dat ik eens, toen jullie op deze verdieping woonden, naar de deur liep en toen kwam je moeder naar buiten en zei: 'O, ik heb hem net een klap gegeven met een steelpan, of een koekenpan, en hem buiten westen geslagen.' Ik zei: 'O God.' En zij zei: 'Het kan me niets schelen, al heb ik hem vermoord.'

MEVROUW GOLD Ze hadden ruzie.

MEVROUW ROSEN Ze hadden ruzie gehad. Maar daarna heeft ze ons geen van drieën meer in vertrouwen genomen.

IK Probeerde ze de schijn op te houden?

MEVROUW ROSEN Ja. Maar dat ging niet echt, maar in het begin, de eerste jaren, overlaadden ze je met van alles. Speelgoed, kleren. Je had de beste kinderwagen...

MEVROUW GOLD Nee, ik had de mooiste kinderwagen. Gebouwd door de beste vaklui en met initialen erop. Ik had van iemand in Great Portland Street geleerd wat je moest doen.

MEVROUW ROSEN Jíj had de duurste kinderwagen. Jij had de beste.

MEVROUW LEVINE De chicste.

MEVROUW ROSEN Ja, ik bedoel dat je in die tijd heel veel liefde van hen kreeg, maar ik weet niet wat er is gebeurd. Misschien botsten hun karakters of wilden ze elkaar alleen maar het leven zuur maken...

IK Denkt u dat ze ooit op elkaar gesteld zijn geweest?

MEVROUW ROSEN Ik weet het niet. Je vader maakte een wat meer ontwikkelde indruk. Ja, maar goed, ze heeft haar man voor hem in de steek gelaten, dus moet er...

MEVROUW LEVINE Iets zijn geweest.

MEVROUW ROSEN Ja, er moet iets zijn geweest.

Ik maakte het die vrouwen en de enig overgebleven echtgenoot – met uitzondering van mevrouw Gold, die volkomen gelukkig was – niet gemakkelijk. Dit was mijn tweede bezoek en ik vroeg waarschijnlijk te veel van hen, vooral van mevrouw Rosen, die weliswaar begreep dat ik het wilde weten, maar het desondanks niet prettig vond om me over mijn familie en mijn jongere ik te vertellen. Bovendien kreeg ik steeds meer het idee dat ze zich slecht op haar gemak begon te voelen door een onuitgesproken beschuldiging dat de vrouwen niet hadden geholpen. Dat gaf mij ook een onbehaaglijk gevoel. Dat was niet mijn bedoeling; dat was geen gedachte van mij, maar er scheen een kleine wolk van afkeuring boven ons hoofd te hangen toen we weer met ons vijven zaten thee te drinken. Voor mijn gevoel was het niet mijn afkeuring en ik wilde de wolk even graag verdrijven als mevrouw Rosen, maar hij werd steeds donkerder. Ik was niet bereid me ervoor verantwoordelijk te stellen, zelfs niet tegenover mezelf, deels omdat hij hen zou belemmeren me dingen te vertellen, maar ook omdat ik het deze mensen in alle redelijkheid niet kwalijk kon nemen dat ze hun eigen leven waren blijven leiden en niets hadden gedaan toen er twee deuren verderop een disfunctioneel gezin was komen wonen. Wat hadden ze kunnen doen? En wie kon het hun kwalijk nemen als ze liever niet hadden willen zien hoe onze meubelen waren weggehaald en hoe mijn moeder op een brancard naar buiten was gedragen? Ik niet. Maar dat deed ik duidelijk wel en ik was me bewust van een wrok die niet echt bij me hoorde, maar die desondanks van mij was. Die wolk was iets, of ik dat nu leuk vond of niet, wat met mij was binnengekomen.

Ik probeerde na te gaan of Jennifer het gevoel had gehad dat ze hadden moeten helpen en kon me daar niets van herinneren. Ik geloof niet dat ze zo had gedacht. Ik wist dat ze haar omstandigheden vreemd had gevonden, eerder iets uit een boek dan uit het echte leven dat ze om zich heen had gezien. Ik wist dat ze voor haar gevoel had vastgezeten bij de verkeerde mensen, dat ze niet had kunnen wegkomen uit de kleine flat, bij haar ruziënde ouders vandaan, maar ik kon me niet herinneren dat ze ooit had gevonden dat iemand uit haar omgeving daar iets aan had moeten doen. Of eigenlijk dat iemand er iets aan had kúnnen doen. Ik neem aan dat ze net als ik had gedacht dat er niets anders op zat dan af te wachten. Er zou iets gebeuren, dat zat in de lucht die ze inademde. De dramatische zelfmoordpogingen, de ruzies en de dreigementen om elkaar te vermoorden liepen nooit op iets uit, maar het was duidelijk dat dat ooit wel zou gebeuren, moest gebeuren. Het was een kwestie van wachten op een catastrofe waardoor alles zou veranderen. We wachtten allemaal, mijn moeder, mijn vader en ik, op wat er zou gebeuren.

Ergens op de bodem van mijn eigen hunkering naar vergetelheid schuilt het idee dat wachten dan uitgesloten is. Vergetelheid is een plek zonder coördinaten in ruimte en tijd. Zonder toekomst of bestemming is wachten onmogelijk. In de echte wereld heb ik een hekel aan wachten en ik heb er ooit bijna alles aan gedaan om het te voorkomen. Zorgen dat er iets gebeurt, was, is misschien nog steeds, een manier om wachten te ondermijnen. Ik leerde hoe ik dingen kon laten gebeuren of kon voorkomen dat er dingen gebeurden. Ik werd een expert in het omzeilen van wachten, niet door te ontwijken wat er ging gebeuren, maar door het liever nu dan later te laten gebeuren. Niet echt vergetelheid, maar een bevrijding van het gevoel van hulpeloosheid terwijl het onvermijdelijke er alle tijd voor neemt om naar je toe te komen. In mijn dromen zocht ik echter een toestand waarin niets zou of kon gebeuren. Een toestand waarin nergens op te wachten viel. Noem het een ziekenhuis, of een monnikscel, of een groot leeg wit continent. In *Moby Dick* richt Melville zich in het hoofdstuk over 'De witheid van de walvis' op witheid als afwezigheid en ontkenning:

Duidt ze door haar onbestemdheid op de harteloze leegten en immense uitgestrektheid van het heelal, en steekt ze ons daardoor met de gedachte aan vernietiging in de rug wanneer we de witte diepten van de melkweg aanschouwen? Of is witheid in wezen niet zozeer een kleur als wel de zichtbare afwezigheid van kleur en tegelijkertijd de meest concrete kleur, komt het daardoor dat een weids sneeuwlandschap zo'n betekenisvolle, stomme leegte is, een kleurloze, al-kleurige godloochening waarvoor we terugdeinzen?

Ja, waarschijnlijk wel – behalve dat zo'n absolute afwezigheid misschien evenzeer aantrekt als afstoot.

En wanneer we die andere theorie van de natuurfilosofen in aanmerking nemen, dat alle andere aardse tinten, elke imposante of liefelijke schildering, de zachte nuances van zonsondergangen en bossen, ja het vergulde fluweel van vlinders en de vlinderachtige wangen van jonge meisjes, dat die allemaal louter subtiele vormen van bedrog zijn, die in feite niet eigen zijn aan de stof, maar er slechts van buitenaf worden opgelegd, waardoor de totaal verafgode Natuur zich zonder meer opschildert als een lichtekooi, wier verleidingen slechts het innerlijke knekelhuis bedekken, en wanneer we vervolgens bedenken dat de mystieke cosmetica die al die tinten laat ontstaan, het grote principe van het licht, zelf altijd wit of kleurloos blijft en alle voorwerpen, zelfs tulpen en rozen, met zijn eigen kleurloze tint zou aanraken als het zonder medium op de materie zou inwerken; wanneer we dat alles overwegen, ligt het verlamde universum als een melaatse voor ons, en als eigenzinnige reizigers door Lapland, die geen gekleurde en kleurende bril voor hun ogen willen dragen, staart de ellendige ongelovige zich blind op de monumentale witte sluier waarin het hele panorama om hem heen is gehuld. En van dat alles was de albinowalvis het symbool. Verbaast ge u dan over de hartstochtelijke jacht?

Nee, niet echt. Tijdens een depressie leek het altijd belangrijk – was het enige punt van belang – dat ik de dingen moest zien zoals ze werkelijk waren. Een depressie is het oplichten van de sluier en wat ik zag wanneer ik helemaal onder in de put zat, was volgens mij wat er echt te zien was. Ondraaglijke leegte. Daar was op lange termijn niet mee te leven, maar af en toe moest ik ernaar kijken, om te weten wat er eigenlijk was. Als alles er beter uitzag, moest ik me kunnen herinneren hoe ik het in andere, minder beschermde stemmingen had gezien. Ik dacht dat dat van vitaal belang was. Dat geloof ik nog steeds. De aantrekkingskracht die leegte en vergetelheid voor mij hadden, was, precies zoals Melville het beschrijft, een gevoel dat afwezigheid in wezen alles was. Kleur was licht en maakte de wereld leefbaar, maar het was af en toe noodzakelijk tot de lege werkelijkheid door te dringen. Depressies zijn niet goed voor je; ze zijn een kwelling waar ik prima buiten kan. Maar de honger naar leegte kon wellicht op andere manieren worden gestild. Witte muren, staren naar mensloze landschappen, afkoersen op sneeuw en ijs. Niet om er te blijven, maar om er een tijdje te zijn. Het is natuurlijk, zoals Melville weet, de dood. Het spelen met het niets dat ten slotte met ons speelt. Geconfronteerd met het wachten waaraan niet is te ontkomen, koers ik recht op het beeld ervan af en rust daar een tijdje uit.

Ondanks mijn gevoel dat ik de oude mensen in Paramount Court niet wilde beschuldigen, ligt er echter een zinnetje in mijn achterhoofd op de loer dat af en toe opduikt met de jammerende stem van een jong kind: 'Waarom helpt niemand me?' Ik ben uiteraard geholpen, soms heel wezenlijk, maar ik hoor die stem nog steeds wanneer ik voor een blinde muur sta. Wanneer ik in een depressie wegzak of in een boek vastzit, begint het zinnetje door mijn hoofd te spelen. *Waarom helpt niemand me? Waarom moet ik dit alleen doen? Dat kan ik niet.* Het heeft iets komisch, dat boze kind dat zich niet kan redden en dat opduikt in een volwassen vrouw die weet dat de verlangde hulp onmogelijk en zelfs onwenselijk is. Er volgt een gesprek, waarin de vrouw tegen het kind zegt dat het zijn mond moet houden omdat het eventuele probleem afgehandeld kan en moet worden. Niemand kan een depressie voor je uitzitten en niemand kan een boek voor je schrijven. *Waarom niet?* gilt het kind. Omdat jij het dan niet zou hebben gedaan. *Nou en?* schreeuwt het kind stampvoetend. Er is niets met die meid te beginnen; je kunt haar absurde eisen slechts onderdrukken. Verleidelijk echter, dat *Nou en?*, geen vraag waarop ik ooit een ander afdoend antwoord heb kunnen vinden dan de eeuwige uitvlucht van de volwassene: *Omdat ik het zeg!* 'Word volwassen,' mompel ik, hoewel ze dat natuurlijk niet kan, al ben ik dat wel min of meer geworden, wanneer ik niet word uitgedaagd en in verzoeking word gebracht door de verleidelijke vraag van mijn eeuwig boze kind. Dat kind is een andere ik, die nog steeds in me zit, in tegenstelling tot Jennifer.

Ik besef echter dat de woede van het kind ooit redelijk is geweest en ik vraag me af waarom Jennifer niet stampvoetend heeft willen weten waarom er geen verstandig mens was die het heft in handen nam. Ik neem aan dat Jennifer het kind heeft onderdrukt, zoals ik nu ook probeer te doen. Niet zo slim, om het toen te onderdrukken, niet zo juist. Maar wat hadden de Rosens of de anderen die hun eigen leven probeerden te leiden, kunnen doen? Ik geef toe dat ik me heb afgevraagd wat ze er later van hebben gevonden, toen wij niet meer in de flat woonden, of ze toen hebben gedacht dat ze hadden moeten helpen. Dat kind weer, niet Jennifer of ik; Jennifer en ik zouden met de beste wil ter wereld niet kunnen bedenken wat ze hadden kunnen doen.

Na het eerste bezoek aan mevrouw Rosen en haar vriendinnen, had ik hen bedankt en hun ondanks mijn verbazing beloofd om overeenkomstig hun verzoek niet hun echte naam in mijn boek te gebruiken. Ik was hen bijzonder dankbaar voor de moeite. Het waren gewone mensen, gewone joodse mensen op de koop toe, voor wie schandalen heel erg waren. Ik was niet van plan geweest hun cake te eten en thee te drinken en hen te laten zeggen, zoals tijdens de ontmoeting nu en dan gebeurde: 'We stellen geen vragen. Als mensen ons iets vertellen, luisteren we, maar we horen niemand uit... Niemand wist dat het zo hopeloos was... Ik besefte niet... Als we hadden geweten... Zo aardig was ze niet... Ze was niet echt een intieme vriendin – nou ja, in die tijd... Ik weet nog dat ze naar het ziekenhuis ging, maar we wisten niet wanneer of waar...'

Ik hield hen net zo min op enige manier verantwoordelijk

voor de ramp die toevallig in de buurt woonde als zij dat zelf deden. Ik was niet naar hen toe gegaan om te zorgen dat ze zich gingen afvragen wat ze hadden kunnen doen, maar louter mijn aanwezigheid moet die uitwerking hebben gehad.

'Wat wil je nog meer weten?' vroeg mevrouw Rosen toen ik haar een paar weken later belde om te vragen of ik nog een keer mocht langskomen. 'We bemoeiden ons alleen met onze eigen zaken. We weten niet veel.' Het werd niet onvriendelijk gezegd, alleen verdedigend. Ik had het moeten laten gaan, maar na mijn eerste ontmoeting met hen had ik thuis verscheidene dagen in bed liggen piekeren. Niet zozeer om na te denken over de werkelijkheid van mijn verleden in de weerspiegeling van hun herinneringen, als wel doordat ik er veel meer door geschokt was dan ik had verwacht.

Jennifer, als verhaal, kwam me goed van pas. Ik kon naar haar kijken, over haar nadenken en zelfs vanaf de afstand van een verhalenverteller of geschiedkundige medelijden met haar hebben. Ik ontken het begrip 'ontkenning' – net zo'n term als 'zich vergrijpen aan' –, dat gecompliceerde dingen verhult en in feite zelf de essentie van de ervaring ontkent. Als je iets van kiespijn wilt weten, moet je het hebben gehad, maar je kunt er onmogelijk over nadenken als je het op dat moment hebt. Pijn eist je volle aandacht op. Als Jennifer en ik net zo waren versmolten als de schaduwen van mijn moeder en mij op de foto, had ik haar helemaal niet kunnen zien. Ik wilde beter zicht op haar krijgen, niet haar worden. Bovendien was Jennifer veel meer op haar hoede dan ik. Ik wilde niet zozeer voorkomen dat ik haar verborgen angst en ongelukkige gevoelens ervoer – daar heb ik op mijn eigen huidige manier al toegang toe –, als wel voorkomen dat ik de toch al fragmentarische herinnering aan een veralgemeniseerde emotionele commotie kwijtraakte.

Maar ik was van slag geraakt door Jennifers nieuwe werkelijkheid. Mevrouw Rosen en de anderen hadden over haar gepraat alsof ze heel reëel was. Hun herinneringen hadden haar, net als de mijne, in de derde persoon getekend, maar hun beelden waren authentiek geweest. Ik was niet echt iets nieuws te weten gekomen over mijn vader, mijn moeder of Jennifer, maar ik had van buitenaf over hen gehoord, als herinnering, niet als speculatie. Ik was te weten gekomen dat het allemaal, bij gebrek aan een beter woord, waar was geweest.

'Je was een lief meisje.'

Ik. Dat was ik. Zenuwslopend zoiets. Niet dat lieve, want dat was al snel getemperd door de zenuwtrekkingen, maar het feit dat ik er wás. Genoeg om me naar bed te sturen. Er had iemand toegekeken; ik was niet alleen geweest, toen ik met mezelf had zitten wachten tot het voorbij zou zijn. Ik was niet volkomen aan mijn eigen fantasie ontsproten en dat had tot dat moment zo kunnen zijn. Ze herinnerden zich Jennifer. Ze herinnerden zich mij.

Maar het was angst waardoor ik werkelijk in bed was beland. Na die eerste ontmoeting was ik geschokt, werkelijk geschokt door de informatie die ik had gekregen, geen nieuwe, maar opnieuw geordende, uitgebreide informatie. Dat mijn ouders theatraal waren, wist ik, maar de nieuwe kijk op mijn vader, niet gewoon een soort schurk, niet gewoon een klootzak, zoals mijn moeder zei, maar een beroepszwendelaar, niet gewoon een slechte echtgenoot en een rokkenjager, maar evenzeer geneigd tot zelfmoordpogingen als mijn moeder, maakte me bang. Het was niet best wat de natuur en de opvoeding voor me in petto hadden. Het ging al een tijdje goed met me, zoals ik het voor mezelf uitdrukte. Maar hoe goed kon het met me gaan, genetisch en psychisch, met zulke ouders? Ik kwam uit een gezin van suïcidale hysterici. Ik was in mijn tijd suïcidaal en hysterisch geweest, had vervolgens de balans opgemaakt en een besluit genomen, of was er gewoon overheen gegroeid, maar toen ik naar mijn auto was teruggelopen, had ik het gevoel gehad dat ik er wellicht niet voor kon kiezen om anders te zijn, dat ik mezelf jarenlang had misleid met het idee dat ik een keus had. Ik was in bed gekropen door de gedachte, nee, de overtuiging dat ik de som was van die twee mensen, dat er onder de pretentie van een min of meer bereikt evenwicht voor mij geen enkele hoop was dat ik anders was dan zij. Het leek net of ik al die tijd over een uiterst dun laagje ijs had geschaatst dat ik voor solide had gehouden, terwijl het louter broos en waarschijnlijk kleiner wordend drijfijs was. Mijn ouders leken ineens onontkoombaar en ik zat vast in het melodramatische gevoel dat ik ten ondergang was gedoemd. Bedankt, Darwin; bedankt, Freud.

Ik voelde me zwak, malafide, en ik kon bijna lichamelijk waarnemen hoe de geschifte genen door mijn lichaam werden gepompt, door mijn hart, mijn aderen, mijn chemische huishouding. Het stond me nog heel helder voor de geest hoe het was om je over te geven aan emotionele chaos, om daaraan ten prooi te zijn, om geen enkele keus meer te kunnen maken. Ik herinnerde me dat er ergens tussen Jennifer en mij, die de chaos elk op hun eigen manier hadden aangekund, een ander was geweest. Niet het jammerende kind dat duidelijk zou blijven rondhangen tot ik in mijn graf lag, maar een tussenliggende ik, tussen Jennifer en mijn huidige ik in, die chaos en waanzin in haar vingers had, die een jarenlange scholing achter de rug had en de rol speelde die ze het beste kende. Ik herinnerde me op dat moment, terwijl ik in bed lag, dat ik werkelijk doordrongen was geweest van mijn ondergang, dat de waanzin toentertijd onontkoombaar had geleken. De vrouw van begin twintig die tussen de witte lakens had gelegen en dat zo had proberen te houden, ondanks het geruk van zuster Winniki, had geen controle over haar leven gehad, had geen keus gehad. Toen had ik me niet kunnen vermannen, had ik er niet voor kunnen kiezen op te staan en verder te gaan met mijn leven. Ik was voor mijn gevoel, toen zowel als nu, volkomen willoos geweest. Alleen het niets had me zinnig geleken; alleen het niets was het waard geweest om voor te vechten. Ik was depressief en ik zou weer depressief worden. Later wist ik echter, hoe depressief ik ook was, dat ik me op een speciale plek bevond waar ik niet weg kon, maar dat er andere plekken waren. Toen ik rond de twintig was, had er geen andere plek in het heelal bestaan waar ik me had kunnen bevinden. Ik was zoals ik slechts kon zijn, niets dat naar nog minder streefde. Zo voelde ik het althans. Ik herinner me dat ik geen enkele greep meer op mezelf had gehad.

Ik was die tijd gaan zien als een slechte periode in mijn leven en de term 'een rol spelen' hoort bij mijn latere ik, die alles vergaf en vergat hoe ik was geweest. Maar misschien had ik helemaal geen rol gespeeld, dacht ik nu, misschien was ik slechts geweest zoals ik werkelijk was, zoals ik wel moest zijn. Ik had vermeden te erkennen hoe authentiek die versie van me zou kunnen zijn.

Mijn vaders emotionele kwetsbaarheid was, voor mij althans, veel beter verhuld geweest dan die van mijn moeder. In mijn vroege jeugd had ik me net zo door hem laten betoveren als de dames uit Paramount Court. Ik aanbad hem; hij aanbad mij. In het weekend zwierven we samen door Londen, namen we de stad in bezit. Op zaterdagmorgen keken we naar het wisselen van de wacht, aaiden we de paarden die in de straat op wacht stonden en spoorde mijn vader me aan de schildwacht aan het lachen te maken. 's Middags verkenden we de musea, het British Museum of de musea in Exhibition Road, waar we door het Natural History, het Geology en het Science Museum zwierven, terwijl hij verhaaltjes verzon over de tentoongestelde stukken, geïmproviseerde grappige anekdotes waar ik dubbel om lag. 'Wat een prater, zo'n charmeur,' hadden de oude vrouwen zuchtend gezegd. Op zondagmorgen kochten we in Petticoat Lane augurken, bagels en roomkaas, en na een Chinese lunch in Soho brachten we de middag door in de bioscoop, eerst de cineac op Charing Cross Road en vervolgens naar Leicester Square voor een echte film in het donker, met de lange tunnel stoffig licht boven ons hoofd, zijn arm om me heen en mijn hoofd tegen zijn schouder.

In het weekend deden we alleen maar leuke dingen. Ik kon er niet genoeg van krijgen. We hielden van onze weekends; we hielden van elkaar en in mijn herinnering lachten we van zaterdagmorgen tot hij op zondagavond de sleutel weer in het slot stak. Als ik mijn kaarten goed uitspeelde, kon ik hem soms zover krijgen dat we naar nog een andere bioscoop met tekenfilms gingen voor we uiteindelijk naar huis terugkeerden. Ik wist dat hij altijd stiekem blij was als hij zich had laten overhalen om nog meer te doen, om het eind van de dag uit te stellen. Ik genoot ervan dat ik hem kon overhalen. We vonden het geen van beiden erg om later naar huis te gaan, waar mijn moeder zat, zonder te lachen, zeer waarschijnlijk met hoofdpijn en een reuzendoos voorgeschreven codeïne binnen handbereik, of zich nors, zonder tegen ons te praten, in de slaapkamer had opgesloten, of ons avondeten – niet het hare, zij had geen honger – met een klap voor ons neerzette, azend op ruzie, omdat het haar niet kon ontgaan dat er lang niet zoveel van haar werd gehouden als van haar man en haar kind. Londen flonkerde voor ons, maar als we in onze flat terugkwamen, was het daar even bewolkt als in het industriële noorden.

Hij bood beschutting tegen mijn moeder. Hij was sterk, dacht ik. Er was eens een keer een agent bij ons gekomen om mijn moeder te vertellen van de auto vol uitlaatgassen, maar dat is een scherpe momentopname die wordt gevolgd door wazigheid. Ik kan me niet herinneren hoe hij in die staat was. Ik kan me herinneren dat hij boos, nors, afstandelijk was. Ik kan me herinneren dat hij gewelddadig was – hoewel dat in mijn herinnering slechts een reactie was op het geweld waar mijn moeder mee was begonnen. Ik kan me niet herinneren dat hij kwetsbaar was, op een keer na. Ik herinner me vooral dat hij me aan het lachen maakte en dat hij vertrouwelijk was. Ik wist dat hij van me hield en toen hij na diverse eerdere keren definitief vertrok zonder contact met me te zoeken, wist ik altijd nog dat hij van me hád gehouden. Nu, na het bezoek aan de oude vrouwen, was er een nieuwe gedachte: ik was dol geweest op een man die zijn geld had verdiend met het charmeren van vrouwen. Ik zag mezelf ineens als zijn zoveelste verovering. 'Iedereen was erin getrapt... Je moest wel van hem houden,' hadden de oude mensen gezegd. Dat was een totaal andere kijk op hem, een gloednieuw verlies. Mijn vader die zijn vaardigheid op mij had geoefend. Van sommige mensen moest je gewoon houden.

Mijn moeders neurose is nooit verhuld geweest. Ik had nooit gedacht dat ik dat nog eens zou waarderen. Ze sloot zich dagenlang op om te mokken, zonder te praten. Ze beschuldigde en vervloekte. Haar wrok en teleurstelling lagen op haar huid, beefden op haar lippen, keken woest uit haar ogen, klaar om ogenblikkelijk tot uitbarsting te komen. Ze was niet in orde, troostte mijn vader me na een scène. Het kwam ons allebei goed uit dat mijn moeder niet in orde was, wat impliceerde dat hij dat wel was.

De eerste keer dat ik me kan herinneren dat hij bij ons wegging, was ik een jaar of zes, zeven. 'Hij is weg; hij is vertrokken,' zei mijn moeder. De toonloosheid van haar stem en de wanhoop in haar woorden zijn met geen pen te beschrijven. Je hebt ze weleens gehoord in de filmstem van Marlene Dietrich of Bette Davis. Het was al laat; ik lag al een tijdje in bed. Ik deed of ik sliep toen ze de donkere kamer in liep om het me te vertellen. Ik wist niet wat ik moest zeggen en ik was bang voor wat er met haar stem zou gebeuren als die werd aangemoedigd om door te gaan. Bovendien had ik mijn eigen wanhoop. Hij was weg; hij was vertrokken.

Het kan de volgende dag of misschien een paar dagen of weken later zijn geweest, dat weet ik niet meer, maar toen ik uit school kwam, was de slaapkamerdeur dicht. Mijn moeder lag vaak in bed.

MEVROUW LEVINE Ik moest elke morgen naar mijn werk. Maar donderdagmiddag was ik thuis en dan belde ze vaak. Ze was nooit aangekleed; ze was helemaal nooit aangekleed. Ze deed altijd open in een badjas…

MEVROUW ROSEN Ik herinner me dat ze eens, toen ik moet hebben aangeklopt, in een badlaken was gewikkeld; ze had waarschijnlijk in het donker gelegen. Ze had vaak migraine, vreselijke migraine. Ze zal wel depressief zijn geweest.

IK Mijn moeder dreigde vaak met zelfmoord. Heeft ze dat ooit geprobeerd?

MEVROUW ROSEN Niet dat ik weet...

MEVROUW GOLD Volgens mij wel. Ze heeft het eens gedaan. Een overdosis. Hoe oud was je toen? Je moet vijf zijn geweest.

Toen ik de deur opendeed, zag ik een kamer waarin het daglicht was buitengesloten, de gordijnen dicht en de lampen uit, een kunstmatige schemering. Er klonk een geluid, gekreun, vreemd gejammer en ik zag dat mijn moeder in bed lag. Ze was bloot, maar ze sliep altijd bloot. Alleen sliep ze niet. Ze rolde als een bezetene heen en weer in een wirwar van beddengoed, als iemand met hoge koorts. Er liep speeksel uit haar mondhoeken. Ze sloeg doorlopend wartaal uit. Praatte tegen God, beklaagde zich over haar leven, riep: 'Help me, help me,' en mompelde vervloekingen.

Ik riep vanuit de deuropening 'mamma', omdat ik er niets voor voelde dichter naar haar toe te gaan, maar ze gaf geen antwoord, zag niet dat ik in de kamer was, dus moest ik wel dichter naar het bed toe gaan.

'Wat is er?' vroeg ik, terwijl ik haar klamme huid aanraakte.

Ze kromp in elkaar en staarde me wild aan. Een gekke vrouw.

'Raak me niet aan,' gilde ze. 'Wie ben je? Ga weg. Ik ken je niet.'

Daar waren de slechte verhalen weer. Ze begon opnieuw te woelen en te kreunen tegen iemand, misschien tegen God, misschien niet, die onzichtbaar in de kamer aanwezig was, maar in elk geval niet tegen mij. Dat wil zeggen, niet tegen Jennifer.

Ik weet niet echt wat Jennifer voelde. Ik kan me niet herinneren dat ze iets voelde. Ik nam aan dat ik bang was; wie zou dat niet zijn? Ik vraag me af of het ook een opluchting was dat ik niet werd herkend, dat ik niet hoefde te luisteren, dat ik werd weggestuurd. Nu zou dat een opluchting zijn; maar ik herinner me dus dat ik niets voelde, dat ik me slechts vlug omdraaide en de flat uit liep om kordaat aan te bellen bij de deur tegenover ons. We kenden die mensen niet, maar er deed een vrouw open en ik zei beleefd: 'Mijn moeder is ziek; wilt u alstublieft helpen?' Een bijzonder praktische meid. Een beetje een koude kikker, moet ze hebben gedacht toen ze de slaapkamer binnenging en mijn gekke moeder zag liggen, kronkelend, weeklagend, ijlend.

Sindsdien heb ik heel wat mensen gezien die aan diverse vormen van geesteszieke leden, waaronder enkele extreme gevallen, maar ik heb nooit iets gezien als mijn moeders waanzin op die dag. Het was bijna te gek, had te veel van een poppenkastvoorstelling om waar te zijn, was precies zoals waanzin geacht wordt te zijn, radeloos, met volledig geheugenverlies, onvoorspelbaar, alsof mevrouw Rochester en koning Lear tot leven waren gekomen om haar les te geven. Ze was werkelijk niet meer te bereiken. Het was heel mysterieus, bijna magisch. Jarenlang heb ik gedacht dat waanzin zo was. Als je gek was, lag je in bed te woelen en te kronkelen, sloeg je wilde wartaal uit en had je geen flauw idee wie je dochter was als die je riep. Dat waren de symptomen, dacht ik, zoals koorts en een zere keel symptomen van griep zijn. Ik dacht niet dat er een andere vorm was. Toen ik op mijn veertiende, depressief maar niet krankzinnig, zelf in een psychiatrische inrichting belandde, was ik enorm verbaasd over de verscheidenheid die ik daar aantrof.

Ze werd op een brancard weggedragen en iemand in het flatgebouw, niet de dames Gold, Rosen of Levine, stuurde me naar een familielid van haarzelf bij wie ik kon logeren. Daarna heb ik bij een gezin gewoond dat ik niet kende, een pleeggezin, zoals ik pas onlangs heb beseft, hoewel me was gezegd dat het 'familie' was. Ik ging naar een lagere school in de buurt, waar dat ook is geweest, en speelde met de andere kinderen uit het dreigend oprijzende rode flatgebouw, dat anders was dan het mijne, een soort huurkazerne met, heel fantastisch, een open lift die als een etenslift langs de brandtrap liep en waarin we levensgevaarlijk op en neer zoefden. Een ander spelletje: met een zaklantaarn uit het slaapkamerraam op de vierde of vijfde verdieping hangen terwijl je probeerde te voorkomen dat de andere kinderen de lichtstraal zagen. Ik mocht de pleegmoeder niet en kreeg de indruk dat ze mij ook niet erg mocht. Ik was toen inmiddels niet meer een bijzonder beminnelijk kind, maar bits en teruggetrokken. Ik hield me zorgvuldig op een afstand en als ik naar troost en liefde verlangde, vroeg ik daar onder geen beding om. Er waren diverse andere kinderen, voor het merendeel van haar, denk ik. Ik herinner me dat ik me ondanks alle spelletjes verloren en vreemd voelde. Verkeerde buurt, verkeerde flat, verkeerde mensen, verkeerde geuren. Tegelijkertijd wilde ik niet aan die plek en die mensen wennen; ik wilde op de plek zijn waar ik thuishoorde, hoewel ik me nu niet kan bedenken waar dat naar mijn idee was. Ik begon elke nacht te slaapwandelen en de vrouw zei me dat ik daarmee moest ophouden, omdat ik anders in de waan dat ik kon vliegen uit het raam kon klimmen en zou doodvallen op het beton beneden. Ik herinner me niet dat ik aan mijn moeder of mijn afwezige vader dacht. Er was alleen het negatieve gevoel van verkeerdheid.

Toen dook mijn vader weer op. Hij kwam wat mij betreft zomaar uit de lucht vallen. Hij nam me tijdens dat eerste bezoek mee terug naar de flat in Paramount Court, zette me op een eetkamerstoel en stelde zich op zijn knieën voor me op. Hij huilde – dat is de enige keer dat ik zijn kwetsbaarheid heb gezien en ik vond het vreselijk –, hij smeekte me om vergeving en door zijn tranen heen, die tot mijn grote verwarring van het puntje van zijn neus drupten, beloofde hij me formeel en plechtig dat hij me nooit, nooit meer in de steek zou laten. Vervolgens gingen we terug naar de huurkazerne, want hij kon zelf nog niet voor me zorgen, vertelde hij me.

Daarna kwam hij eens per week en gingen we niet naar Petticoat Lane, Exhibition Road of Leicester Square, maar naar mijn moeder in de inrichting. Na een lange busrit volgde een in mijn ogen zeer lange wandeling door een met bomen omzoomde weg in een buitenwijk. Ik geloof dat het het Friern Barnett Hospital was, waar ik zelf jaren later kort heb gezeten, hoewel het ook het Shenley kan zijn geweest, dat ik half herkende toen ik er in het midden van de jaren zestig een vriendin opzocht. Tijdens die wandeling moest ik steevast plassen, dus klopten we elke week bij een ander huis aan om te vragen of ik naar de wc mocht. Het werd een spel, een soort roulette. Ik ontdekte allerlei verschillende toiletten en een, het beste van allemaal, met een wc-rol die muziek maakte. Het werd nooit geweigerd en soms dronken we nog een kop thee met de bewoners. De charmante vader en zijn jonge dochter kregen thee en koekjes van buitengewoon aardige en vriendelijke mensen die, terwijl ik op de wc zat, ongetwijfeld hadden gehoord van ons bezoek aan de ziekelijke vrouw en moeder in de psychiatrische inrichting verderop. Ik neem aan dat ze het erg vonden, en nog wel zo'n aardige man, het arme kind. Die korte bezoekjes hoorden thuis in het rijk van onze eerdere zwerftochten door musea: het huis en zijn bewoners, de uitgestalde dingen, het ontmoeten van mensen en het zien hoe zij woonden, dat waren net de verhalen die mijn vader had verzonnen over de dingen in de glazen vitrines. Het waren avonturen in onbekende werelden, bij mensen wier huis en leven een zeer solide en evenwichtige indruk op mij maakten. Degelijke huizen voor echte gezinnen, waar de meubelen met chintz waren bekleed en iets eeuwigs hadden, waar verzilverde theepotten in glazen kasten stonden te wachten tot ze voor bezoek te voorschijn werden gehaald. Andere levens. Die echter door een enkel bezoek bevroren tot een geruststellende zekerheid. Het was ook net of we naar de film gingen en door de lichtstralen de levens op het doek binnengliptcn.

Tot de reden voor onze aanwezigheid uiteraard niet langer kon worden uitgesteld en ik de prijs voor het samenzijn met mijn vader moest betalen door mijn moeder te zien. Ze was heel lang, ik geloof maanden, onbereikbaar. We werden door een zuster naar haar zijkamertje gebracht, waar ze wezenloos op bed zat. Ze had geen idee wie we waren en dat kon haar ook niets schelen. Ze was niet meer dramatisch gek, maar louter een omhulsel, een leegte, doordat ze onder de medicijnen zat of half catatonisch was, of allebei. Ze ontving onze bloemen passief van de zuster, die de bos uit mijn hand paktc cn met waarderende opmerkingen op mijn moeders schoot legde, waar hij zinloos bleef liggen tot de zuster wat praktischer werd en hem meenam om een vaas te zoeken.

Tijdens een depressie, toen mijn dochter zeven was en door haar vader werd verzorgd, heb ik haar eens proberen uit te leggen dat ze zich geen zorgen moest maken, dat het niets met haar te maken had, maar een probleem van mij was, een ziekte die ik soms had en die weer zou overgaan. 'Ik maak me geen zorgen,' zei ze koel. 'Ik heb je gewoon nodig.' Ik vond die duidelijkheid bijzonder bemoedigend.

Ik had me ook geen zorgen gemaakt over mijn moeders

depressie. Ik geloof niet dat het me iets kon schelen of dat ik me druk maakte over mijn moeders toestand, maar voor zover ik me kan herinneren, wist ik niet dat ik haar nodig had. Ik verlangde naar vertrouwdheid, naar de omstandigheden die ik kende, maar emotioneel was ik volgens mij even afwezig als zij. Ik wilde haar niet zien, wilde niet bij haar zitten en het zinloze gesprek voeren dat mijn vader probeerde te stimuleren, terwijl zij onheilspellend voor zich uit staarde. Ik was net zomin in haar geïnteresseerd als zij in mij. Maar ze had me niet verwaarloosd; ze was labiel, veeleisend en angstaanjagend geweest, maar ze had me niet verwaarloosd. Ze had zich volkomen aan mij gewijd, aan mijn uiterlijk, mijn voeding, mijn vorderingen op school. De indruk die ik maakte, hoe ik het deed, liet haar zien hoe zij het voor het oog van de wereld deed. En misschien hield ze van me. Ik weet het niet. Ik weet dat het hebben van een kind volgens haar garandeerde dat er iemand van haar zou houden. Dat vond ze zo onnatuurlijk en onbevredigend aan me. Soms zei ze: 'Ik moet van je houden; je bent mijn dochter.' Liefde was een verplichting en door dat te zeggen herinnerde ze me aan mijn verplichting tegenover haar. Ik vond dat altijd verre van bevredigend. Ik had liever gehad dat er om een speciale reden, om een speciale eigenschap van me werd gehouden dan om het toevallige feit van mijn geboorte. Maar ze bedoelde waarschijnlijk wat de meeste mensen bedoelen wanneer ze het over de onvoorwaardelijke liefde van ouders voor hun kinderen hebben. Het was een soort verzekering, maar op een of andere manier was ik daar niet zo zeker van. Ze had zelfs een verhaaltje, geen duizenden zoals mijn vader, maar slechts eentje dat ze me vertelde als ik naar bed ging en mijn vader nog niet thuis was, of als ze 's nachts bij me zat wanneer ik ziek was en koorts had. Het was een versie van

The Water Babies, zonder het water, maar met Tom de jonge schoorsteenveger, die bevriend raakt met een meisje, met Jennifer, dat voor hem zorgt en hem redt van zijn gemene vader de schoorsteenveger. Ik was dol op dat verhaal waarin ik de held was en ik wilde het altijd horen. Dat is de warmte die ik me met mijn moeder herinner wanneer ik me extra inspan om haar niet haar emotionele rechten te ontzeggen, maar hoewel ik weet dat ik het verhaal graag hoorde, kan ik het slechts zien als een uitzondering op de algemene angst en ellende die ik met haar heb gekend. Het was in elk geval niet genoeg om me het gevoel te geven dat ik haar nodig had toen ze geestelijk afwezig was. Ik stond, zoals mijn moeder me regelmatig terecht had voorgehouden, volkomen harteloos tegenover haar.

Het zag er echter naar uit dat ik mijn vader slechts door mijn moeders herstel zou terugkrijgen. Mijn vader verzekerde me dat we weer allemaal bij elkaar zouden gaan wonen zodra mijn moeder beter was. En dan zou het anders zijn, zei hij, dan zouden er niet meer van die vreselijke ruzies zijn en dan zou hij me nooit meer in de steek laten. Ik weet zeker dat het werd gesteld in termen van mij in de steek laten en niet van mijn moeder in de steek laten. Zelfs het feit dat het 'beter' zou gaan, had met mijn welzijn te maken, niet met geconstateerde nieuwe gevoelens voor mijn moeder. Ondertussen moest ik bij de pleegouders blijven, omdat hij niet alleen voor me kon zorgen. Ik weet niet hoeveel ik van dit nieuwe verhaal van mijn vader geloofde. Ik hield van hem, maar ik vermoed dat ik hem toen, en zelfs nog eerder, al niet helemaal vertrouwde. Hij schilderde een plaatje uit een droomwereld, mooi maar onwerkelijk, net als al zijn verhalen. Maar hoewel ik misschien niet echt in zijn verhaal geloofde, vond ik het wel mooi en deed ik eraan mee.

MEVROUW LEVINE Hij wist je voor zich in te nemen.

MEVROUW GOLD Het was een knappe man. Een bijzonder knappe man. Heel galant.

MEVROUW LEVINE Hij kon alles van iedereen gedaan krijgen. Door zijn persoonlijkheid. Door de manier waarop hij praatte, moest je wel naar hem luisteren.

Er was uiteindelijk toch een behoefte: mijn moeder moest beter worden, want dan zou ik mijn vader volledig terugkrijgen.

Er is iets vreemds voorgevallen toen ik nog heel klein was. Op mijn derde verjaardag namen mijn ouders me mee naar Danny Kaye, die in het Palladium optrad. We zaten bijna vooraan en hij zag me, vroeg of ik op het podium wilde komen en zong een liedje voor me. Tijdens de pauze werd ik naar zijn kleedkamer gebracht, waar ik bij hem op schoot zat en mijn eerste cola dronk. Ik was helemaal weg van hem, omdat hij zo vriendelijk, grappig en betrouwbaar was. Ik voelde dat hij van me hield. Toen ik op een dag, een tijdje later, met mijn vader door West End liep, werd ik plotseling overvallen door een verlangen naar Danny Kaye. Ik wilde het liefste, liever dan de maan en sterren, het allerliefste van de hele wereld dat hij mijn vader was. Ik liep verder terwijl ik de hand vasthield van mijn echte vader, die ik aanbad, maar ik werd verteerd door de sterke behoefte die andere vader te hebben, die ik maar een paar minuten had gekend. Ik begon te huilen om de tragiek ervan toen ik plotseling begreep dat Danny Kaye nooit mijn vader zou kunnen zijn. Dat lag vast. Ik raakte steeds meer overstuur en schokte en snikte van verdriet. Mijn vader tilde me op en probeerde erachter te komen wat er aan de hand was. Dat maakte het alleen maar erger, doordat ik ineens besefte dat ik hem had verraden door een andere vader te willen hebben. Ik kon hem niet zeggen wat er aan de hand was, maar ik kon ook niet ophouden met het treuren om mijn verlies. Het was zo erg dat diverse auto's, in de veronderstelling dat ik ziek was geworden, langs de kant van de weg stopten om mijn vader een lift aan te bieden. Ik bleef de hele weg naar huis huilen en huilde mezelf in slaap zonder iemand te zeggen wat er aan de hand was. Dat is een van mijn scherpste herinneringen aan mijn vroege jeugd.

Er is er nog een, die ik als volwassene in verband heb gebracht met die herinnering aan het verlangen naar een andere vader en hoe schuldig ik me daarover voelde. Het moet ongeveer in diezelfde tijd zijn geweest. Ik was nog heel klein, twee of drie, en ik was wakker geworden doordat mijn ouders bijzonder heftig tegen elkaar tekeergingen. Ik liep naar de andere kamer en bleef in de deuropening staan. Toen ze me zagen, hielden ze op en mijn vader vroeg me wat er aan de hand was. Ik vroeg waarom ze schreeuwden.

'We schreeuwen niet,' legde hij uit. 'Dat begrijp je niet. Grote mensen voeren soms een gesprek wanneer ze heel hard praten. Er is niets aan de hand, schatje. Ga maar naar bed.'

Ik wist dat hij loog. Ik neem aan dat het de eerste leugen was waarvan ik me bewust was. Ik herinner me de schok en dat ik er niet tegen inging, maar weer in bed kroop terwijl ik deed alsof ik hem geloofde. Ik hield meer van mijn vader dan ik kan zeggen, maar volgens mij geloofde ik daarna niet echt meer wat hij me vertelde.

Het duurde een tijdje, maar ten slotte begon mijn moeder te weten wie we waren wanneer we haar in de inrichting opzochten en slaagde ze erin bij onze komst flauw te glimlachen. Weldra volgden er stijve, zenuwslopende bezoekjes aan een achterkamertje van een tearoom in de buurt en op een keer kwamen mijn vader en moeder samen bij mij thee-drinken in het huis van de pleegmoeder. Toen we weer alle-maal in de flat gingen wonen, werd me uitgelegd dat mam-ma erg teer was en dat ik heel voorzichtig moest zijn met wat ik zei. Dat was ik altijd geweest, maar nu was het oppervlak van de wereld zelf in breekbaar ijs veranderd en we slopen er allemaal overheen, ook mijn moeder, terwijl we deden of al-les nu in orde was. Het duurde niet lang. Binnen een paar maanden was alles weer als vanouds. De woordenwisselin-gen en stiltes, die soms weken duurden, keerden terug, hoe-wel we inmiddels naar boven waren verhuisd, naar een flat met een extra kamer – mijn kamer, die echter al snel mijn moeders uitwijkplaats werd wanneer de ruzie het punt be-reikte waarop er met deuren moest worden geslagen.

Op een dag, toen ik bijna elf was, kort voor ik van de lagere school kwam, pakte mijn vader me bij mijn schouders. Hij zei dat hij voorgoed wegging. Daar was ik niet op bedacht. Het was me niet opgevallen dat de toestand erger was dan normaal. 'Deze keer kom ik nooit meer terug. Wil je met mij mee of blijf je bij mamma?' Het was een duidelijke vraag die ik ogenblikkelijk moest beantwoorden. Zijn spullen wa-ren al gepakt en stonden bij de deur. Ik heb geen idee waar-om, behalve dat ik niet wist waar hij naar toe ging, maar ik zei vrijwel meteen dat ik bij mijn moeder bleef. Het besluit blijft een raadsel, al veronderstel ik dat het vergezocht is om het een besluit te noemen. Het was eerder een nerveuze re-actie op de onverwachte mededeling dat het leven opnieuw zou veranderen en op de idiote eis dat ik daar op stel en sprong mijn definitieve voorkeur kenbaar moest maken. Mijn voorkeur was altijd naar mijn vader uitgegaan. Maar ik koos ervoor bij mijn moeder te blijven en keek hoe hij met zijn koffers de deur uit liep. Misschien dacht ik dat een meisje dat hoorde te doen. Misschien wilde ik mijn spullen niet pakken en het onbekende tegemoet gaan. Ik weet niet waarom.

Hij verdween uit ons leven, dook alleen op in mijn moeders scheldkanonnades aan zijn adres. Geen woord, geen geld. Gewoon weg. Op één keer na, toen we hem bij het metrostation Tottenham Court Road zagen en mijn moeder hem najoeg met het mes dat ze speciaal in haar handtas had zitten om hem te doden als ze elkaar ooit tegen het lijf zouden lopen. Hij was sneller dan zij.

Een lange magere man kwam een tijdje veel over de vloer. Hij zou de flat net gaan opknappen toen mijn vader verdween en het opknappen van de flat een ijdele droom werd. Hij deed niets aan de flat. Toen was hij er niet meer. Er stond een vrouw van een jaar of veertig bij ons op de stoep die mijn vader zocht. Ze kwam uit Denemarken en had hem opgespoord, omdat ze de man wilde vinden die haar moeder, een vrouw van in de zestig, klaarblijkelijk met mooie verhalen van haar kleine inkomen had beroofd. Ze scheen medelijden met ons te hebben en gaf me tien shilling voor ze vertrok. Dat konden we goed gebruiken, aangezien we geen inkomsten hadden, doordat mijn moeder niet kon en wilde werken en geen uitkering wilde hebben. We hadden sinds het vertrek van mijn vader geen huur meer betaald en zaten tegen die tijd gewoon te wachten tot we het huis uit zouden worden gezet.

Alweer wachten. Wekenlang woonden we in de lege flat, terwijl mijn moeder hulpeloos in de leunstoel zat die de deurwaarders hadden achtergelaten, en me vertelde dat we op straat zouden gaan wonen als we er ten slotte uit zouden worden gegooid, onder de bogen van Charing Cross om precies te zijn. We zouden alvast gaan oefenen, zei ze terwijl ze me aan mijn arm overhaast de flat uit sleepte alsof we er nooit meer zouden terugkomen. 'Wat heeft het voor zin om te wachten tot we eruit worden gegooid? Nu zijn we op straat. Dit is het. We zijn dakloos.' In mijn herinnering regende het altijd als dat gebeurde. Waarschijnlijk regende het niet altijd.

Deze keer kon ik de onzekerheid niet verdragen. Ik zat net op de middelbare school en ging er elke dag heen alsof er niets aan de hand was. 'Zeg niemand iets,' had mijn moeder mij opgedragen. 'Als iemand naar je vader vraagt, zeg je maar dat hij dood is.' Ik deed wat me was gezegd. Je kon beter een dode vader hebben dan toegeven dat hij ervandoor was gegaan. Ik vroeg me af hoe ik naar school zou moeten gaan als we onder de bogen woonden. Ik kwam telkens weer zonder geometrieset bij wiskunde. Door de kosten was de aanschaf ervan uitgesloten. Ik zei het niet eens tegen mijn moeder. Maar elke dag moest ik bij het begin van de wiskundeles opstaan en bekennen dat ik nog steeds geen geometrieset had. De hele klas maakte er grapjes over, aangespoord door het aartssarcasme van de wiskundelerares. Op een morgen liep ik de flat niet uit om naar school te gaan, maar ging ik op de plankenvloer liggen en zette het op een gillen. Ik vertikte het nog naar school te gaan. Twee weken later kwamen de maatschappelijk werkers, gewaarschuwd door mijn absentie op school. Ik had het wachten bekort.

IK Het moet een schandaal zijn geweest toen de deurwaarders onze meubelen in beslag kwamen nemen.

MEVROUW ROSEN Ik heb er alleen van gehoord. Ik heb het alleen maar gehoord.

MEVROUW GOLD Ik dacht dat ze gewoon wegging. Nee, ik
weet het niet meer. Het ene moment waren jullie er nog
en even later waren jullie weg.

MEVROUW ROSEN Toen jullie eenmaal weg waren, wist
niemand wat er was gebeurd. Niemand wist waar jullie
naar toe waren gegaan.

MEVROUW GOLD Toen je vader was weggegaan, had je
moeder die bouwvakker...

MEVROUW ROSEN Een schandaal, herinner ik me, een
schandaal. Hij was er altijd.

MENEER ROSEN Het was ongehoord.

MEVROUW GOLD Maar het heeft niet lang geduurd, doordat jullie toen zijn weggegaan.

MEVROUW ROSEN Er gebeurde zo veel in dit flatgebouw,
dat het niet zo belangrijk was. Geloof me alsjeblieft. Je
vader en moeder, de bouwvakker, het hoorde bij het dagelijks leven. We hadden allemaal kinderen.

MEVROUW GOLD Dus jullie woonden op deze verdieping
toen jullie weggingen?

IK Ja.

MEVROUW LEVINE O, ze waren niet de enigen die op deze
etage met de noorderzon zijn vertrokken. Er woonde
een stel met een klein meisje op deze etage... Helaas is
die dochter niet zo goed terechtgekomen als Jennifer.
Ze zat bij popgroepen. Toen ze Harrod's eens binnenkwam, zag ze eruit als een beatnik. Zwarte oogmake-up
en oorbellen. En hij heeft een boek over paarden geschreven. De man was weg en een jonge minnaar... en
deze en gene...

'Wat wil je nog meer weten?' vroeg mevrouw Rosen bij het
begin van mijn tweede bezoek aan Paramount Court.

Ik wilde weten wat ik de eerste keer was vergeten te vragen.
'Ik vraag me af hoe u zich mij als kind herinnert.'

Ik geloof dat het een hele opluchting voor haar was om te ontdekken dat ze me niet meer over mijn ouders en haar relatie met hen hoefde te vertellen.

'Je was een heel, heel lief meisje...'

Ik had de beste kinderwagen van de stad gehad, of de op een na beste, als we mevrouw Gold mochten geloven, en de mooiste kleren die er te koop waren geweest.

MEVROUW ROSEN In die tijd, toen je nog heel klein was, overstelpten ze je met liefde, maar ik weet niet wat er is gebeurd. Je was als kind een heel bijdehand ding. Hoe ben je toch zo'n ontwikkelde vrouw geworden? Toen je ineens belde, was ik enorm blij dat je, met zo'n jeugd, zo goed terecht was gekomen. Ik zal nooit de dag vergeten waarop je voor het eerst naar school ging. Je was heel klein. Je had een klein grijs hoedje op en een grijs uniform aan. Je was altijd klein en teer.

MEVROUW GOLD Toen je vier werd, hebben ze een verjaardagsfeestje voor je gegeven. Het was het feest van het jaar. Alle kinderen gingen met mooiere cadeaus naar huis dan jij had gekregen. Je had luxueuze feestjes toen je jong was. Er moet geld zijn geweest.

MEVROUW LEVINE Je moeder had wat sieraden van haar eerste man. Een tijdje...

MEVROUW ROSEN Als kind was je heel intelligent. Je was de jongste van al onze kinderen. Jij was de baby. Maar je was tegen hen opgewassen. Niemand was zo bijdehand als jij. Wat zij deden, kon jij ook, misschien zelfs beter. Je kon praten! Je kon redeneren! Je hield hen bij. Je kon de anderen aan. Je hebt altijd voor jezelf kunnen opkomen.

Mevrouw Rosen gaf me met aangeboren vriendelijkheid wat ik wilde hebben, een verhaal voor mij en over mij dat ik niet kende en me niet kon herinneren. Ik dacht eraan hoe ik met Chloe, toen ze nog jonger was, door haar fotoalbum had gebladerd. Dan zei ze 'Vertel hier eens van' en 'Hoe was ik toen?' terwijl ze de foto's bestudeerde van een baby en peuter die ze zich niet kon herinneren. In de loop der jaren hebben we haar telkens weer opnieuw over haar jeugd verteld. Een foto, een verhaal, een vage herinnering, en zo kreeg Chloe net als iedereen haar verleden terug in een patchworkverhaal dat min of meer een hele doek werd. Het is niet onwaar; het is zo waar als fototoestellen, momentopnames en mijn geheugen, samen met mijn kant van het verhaal het kunnen maken. Ik heb gezien hoe Chloe's geheugen uit aanwijzingen en herinneringen werd opgebouwd. Vertel nog eens van de kwarktaart, vroeg Chloe, en er werd een bijdehante, drukke, sociale peuter opgeroepen die door een restaurant dwaalde en de andere klanten voor zich innam doordat ze als kind vriendelijkheid en genegenheid aan vreemden kon ontlokken, tot ze helemaal opgewonden de punt kwarktaart van een kindtrotserende vrouw omgooide en ontdekte dat charme en jeugd niet altijd garandeerden dat de mensen dol op haar waren. Wat was ze geschokt toen ze bij ons tafeltje terugkwam nadat ze op de woede van een vreemde was gestuit. Roger en ik hebben haar dat verhaal maandenlang telkens en telkens weer moeten vertellen, terwijl ze de complexe werkelijkheid van de buitenwereld en haar eerste sociale ramp verwerkte. Nu herinnert ze zich niet meer bewust het moment van de kwarktaart of het voortdurende hervertellen ervan, maar herinnert ze het zich doordat we het steeds weer samen hebben opgehaald. Een valse herinnering? Gewoon een herinnering.

Hoe heeft mijn moeder mijn niet-herinnerde leven voor me gereconstrueerd? Wij hadden ook een fotoalbum. Er stonden foto's in van mij als baby en zolang het album er was, bekeek ik die terwijl ik me dat verre kind probeerde voor te stellen. 'Je was zo'n schattige baby. Als je sliep. Net een engeltje. Dan werd je wakker en veranderde je in een duivel.' Dat was liefhebbend, een leuk grapje van mijn moeder en mij. En verder? Niets dat ik me kan herinneren. Alleen die babyfoto en het grapje over het slapen. Maar vaker, als de wanhoop en de teleurstelling haar hoog zaten, als ze geen grapjes maakte en me niet het verhaal over *The Water Babies* vertelde, zei ze wanneer ze het over mijn babytijd had: 'Als ik had geweten hoe je zou worden, had ik je bij je geboorte gewurgd.' En: 'Je bent altijd een ellendeling geweest, net als hij. Als baby kon je al geen liefde geven.' Geen babykiekjes van die momenten, alleen mijn eigen inwendige beelden.

Het was een echt atavistisch moeder-en-kindmoment van tevredenheid voor me toen mevrouw Rosen me de vierjarige Jennifer aanbood die voor zichzelf kon opkomen. Het ging voorbij, maar het beeld van de koppige, niet klein te krijgen, vierjarige Jennifer beviel me. Het rijmde ook met andere herinneringen aan mijn jeugd. Het waren vooral herinneringen aan momenten waarop ik in moeilijkheden zat, waarop ik weigerde toe te geven, waarop ik mijn rechten opeiste. Er was van begin af aan een taai kind geweest, met zelfbewustzijn. Iemand met overlevingsdrang. Ik herinner me dat ik vaak bang was, maar dat niet wilde laten merken. Ik vermoed dat deze karaktertrek, die me in de loop der jaren vaak in moeilijkheden heeft gebracht, me wellicht ook het leven heeft gered. Sindsdien mag ik mezelf dan in beheersbare delen hebben gesplitst, maar misschien was er zowel toen als de hele tijd een soort constant bewustzijn dat precies wist wie en wat het was en dat die wetenschap steeds heeft bewaard. Soms schaam ik me voor die overlevingsdrang. Een minder positieve kant van me heeft een hekel aan die sterke wil, aan de vastberadenheid die eruit spreekt. Maar die overlevingsdrang kon tegenover de geschifte genen en de scholing in wanhoop worden gezet. Door de dreiging dat mijn levende of dode moeder plotseling weer in mijn leven kon terugkeren, ben ik vermoedelijk naar mevrouw Rosen gegaan om dat uit te zoeken. Om vast te stellen dat die overlevingsdrang er ooit was en steeds is geweest. En die zekerheid had mevrouw Rosen me in een onverwacht moment van goede moederlijke zorg al dan niet onbewust gegeven.

Op zee

De volgende morgen lag ik omstreeks kwart over zes met een zere keel te rillen in mijn kooi. Ik was werkelijk snotverkouden en voelde me afschuwelijk, maar dat gaf niet, want het was een reisdag en ik hoefde niets te doen als ik dat niet wilde. Ik was al eerder, om vier uur, met een enigszins zwaar, beklemd gevoel wakker geworden in het onverbiddelijke licht. Een tikje neerslachtig. Misschien was het een vlaag van paniek geweest omdat ik volkomen onbereikbaar was, honderden mijlen bij land vandaan. Een soort somberheid. Ik had de beige gordijnen om het bed gesloten, waardoor er een afgesloten ruimte met zacht schemerlicht was ontstaan, en was verder gedoezeld.

Later verhief ik mijn pijnlijke lijf om uit mijn raam te kijken. Vogels: Kaapse duiven, stormvogels en wenkbrauwalbatrossen – ik begon er goed in te worden – cirkelden rond, schoten weg en doken op de wind neer om zich te goed te doen aan Melvilles 'schitterende Zuidelijke IJszee'. Het wateroppervlak was donker, nauwelijks in beroering, maar actief genoeg om de boot licht te laten slingeren, waardoor ik weer in bed kroop om ervan te genieten. Ik ging verder met *Moby Dick* en Achabs speurtocht naar de grote witte walvis.

Wat een vreugde. Groots, kolossaal en vrij. Gebruik makend van alle vrijheid die een schrijver nodig heeft. Ik kon geen andere omstandigheden bedenken die mijn leven zouden verbeteren – afgezien van niet verkouden zijn. Hoewel ik zo dadelijk zou moeten opstaan om te gaan ontbijten – en dat betekende andere mensen, groeten, glimlachen en praten. Het leek me enigszins een bezoeking. Ik wilde blijven waar ik was, in mijn hut, in bed. Toen ik mijn boek even neerlegde en door het raam naar buiten keek, besefte ik dat het sneeuwde. Wolken die zwaar waren van sneeuw, gaven de lucht een duifgrijze tint en de sneeuw viel zachtjes neer, maakte de door wind geteisterde wildernis van de Zuidelijke IJszee even stil als een stadstuin in de winter. De horizon was heel ver weg.

Ik sloeg het ontbijt over, evenals de twee lezingen die ons moesten helpen de tijd op zee door te komen, en wijdde de dag aan mijn kou, mijn kooi, mijn boek en het uitzicht uit mijn raam. Ik was volmaakt tevreden. Slapen, lezen en staren naar de sneeuw en de zee, dat had ik eeuwig kunnen volhouden. Geen zuster Winniki die kwam zeuren. Met rust gelaten om naar hartelust lekker lui te zijn. Wat wil een mens nog meer?

Toen dreef 's avonds de eerste ijsberg langs.

Terwijl ik loom naar buiten keek, doemde de ijsberg op als een fata morgana, een droomverschijning, een mat wit bouwwerk dat er spookachtig uitzag in het nevelige grijze licht en de vallende sneeuw. Een onverwachte, vloeiend langsglijdende gebeurtenis in de grote lege zee onder de grote lege hemel. Ik keek er met knipperende ogen naar. Er was geen sprake van de teleurstellende vertrouwdheid van iets wat al te vaak op de televisie of in fotoboeken is gezien. Dit verraste door zijn spiksplinternieuwe werkelijkheid, doordat het met niets te vergelijken was. Zelfs de vogels schenen stil te zijn geworden voor onze entree in het land van ijs. De intercom kwam krakend tot leven en Butch kondigde aan:

'Dames en heren, er zijn ijsbergen.'

Tijd om op te staan. Ik trok een trainingspak aan en begaf me naar de brug, waar ik ontdekte dat we als in een indrukwekkende theaterproductie door een gang van ijsbergen het echte zuidpoolgebied binnengleden. Voor zover het oog reikte, werd onze route aan weerszijden omzoomd door ijsbergen. We trokken door de ijsbergsteeg. Het was belachelijk symmetrisch, als een boulevard in de ruimte. Het waren tafelbergen, waarvan de bovenkant, zoals de naam al zegt, even vlak was als een tafel, alsof iemand de toppen had weggeschaafd, te glad om echt te zijn, te echt om waar te zijn. Het duurde ongeveer een uur om de ijsbergsteeg door te varen en ik bleef samen met veel andere passagiers de hele tijd staan kijken, in een stilte die slechts werd verbroken door ohs en ahs en het onvermijdelijke geklik van fototoestellen en gezoem van camcorders. Daarna leken we een tijdje door puin te varen, merkwaardig gevormde bergachtige stukken ijs en grotere schotsen, sommige niet groter dan boeien, die als kurken op de golven lagen te dobberen en te slingeren, andere met het formaat van een rubberboot of een klein huis. Dat waren restanten van grote bergen, afgesleten door wind en water, afbrekend en uiteindelijk wegsmeltend tot niets. Ten slotte voeren we door gebarsten stukken ijs, splinters en brokken, alsof we ons een weg zochten door een kom ijsblokjes.

Later, in de vroege ochtenduren, verschenen er meer grote bergen, nu niet in formatie, maar her en der in groepjes van twee of drie over zee verspreid; er zaten enkele reuzen bij, even groot als ons schip en nog groter. Ik zag er een voorbijgaan die, zoals ons de volgende morgen werd verteld, vier mijl lang was, een ijseiland dat je pas na een hele tijd was gepasseerd.

Ik sliep niet veel. Irma's houding tegenover de biefstuk was misschien toch niet zo ziekelijk geweest. Ik voelde me uitgesproken misselijk en had maagkramp. Tijdens de doorlichte nacht hing ik nu eens boven mijn toilet zonder echt over te geven – als ik ergens een hekel aan heb is het aan braken – en leunde ik dan weer uit het open raam, waar ik met mijn kin op mijn gevouwen armen keek hoe de bovenaardse witte bergen langsdreven. Soms veranderde een enorme ijsberg van vorm terwijl ik hem zag naderen, speelde hij parallactische spelletjes en splitste hij zich als hij dichterbij kwam in twee of drie afzonderlijke bergen die, zoals ik ten slotte zag, een flink stuk uit elkaar lagen. Als we hem achter ons hadden gelaten, veranderde hij weer in een enkele berg.

In feite waren de ijsbergen, in aansluiting op het interessante maar niet fatale verschil tussen mijn fantasieën en de rest van de reis tot nu toe, helemaal niet dagdroomwit, of ze nu dichtbij of heel ver weg waren. Blauw. IJsbergen zijn blauw. Op zijn blauwst hebben ze de kleur van David Hockney-zwembaden, Californisch blauw, neonblauw, Biotexblauw, blauwwit, soms zelfs indigo. Blauw is een vreemde kleur, die duidt op zonnige vooruitzichten (blauwe luchten) en op beproevingen (blauw van de kou, een blauwtje lopen). Andere tinten, andere beloftes, zelfde kleur. Blauw kan helder, schoon en zelfs koud zijn, en het kan mysterieus en diep zijn, de kleur van de nacht en van dromen. Net als Melvilles begrip witheid verheldert en verduistert blauw, staat het voor zuiverheid en complexiteit. De kleur blauw deed mijn hunkering naar wit geen geweld aan. Het hoorde bij en in het ijs, dat daardoor nog kouder leek, emotioneel leeg, maar met een grote dichtheid, met meer lagen dan je kon waarnemen. De bergen waren nergens zo donkerblauw als op zeeniveau en in de spleten en scheuren die je een blik gunden in het inwendige van de berg, waar het ijs het oudst was en zo compact dat alle lucht eruit was geperst. Waarom ze dientengevolge zo pijnlijk blauw waren, is geen vraag die kan worden beantwoord door iemand die haar natuurkundelessen gebruikte om haar aantekeningen in poëzie te veranderen. Ik hoorde dat ze verder naar boven blauw waren doordat ijs alle golflengtes van het licht absorbeert behalve de kleinere blauwe golflengtes. Dat vertelde ik trots aan Marjorie, die me erop wees dat dat de reden is waarom alles een bepaalde kleur heeft. Alweer Melville: er is geen kleur, alleen een schijn van kleur die de universele ontkenning van wit licht verhult. De verklaring verklaarde uiteindelijk niet veel en ik wenste opnieuw dat ik tijdens natuurkunde niet zo had aangerotzooid, waardoor ik mezelf had beroofd van de antwoorden op de meeste dingen die ik me nu bleek af te vragen.

Die drijvende bergen van blauw ijs met witte schaduwen en wit ijs met blauwe schaduwen waren niet glad en glimmend als ijsbaanijs. Het waren dichte, ondoorzichtige eilanden van samengeperste poedersuiker. Suikergoed dat de loodgrijze zee en lucht liet oplichten. Ze dreven de hele nacht langs, door wind en water gebeeldhouwd tot oeroude vormen: schepen, kastelen, monumenten, mythische wezens. Geen enkele ontdekkingsreiziger die ze heeft beschreven, is erin geslaagd die beschrijvingen te vermijden. Ze waren even onvermijdelijk als een zucht bij de aanblik van parende zeeolifanten. Ik passeerde enorme, verweerde gezichten en profil, onheilspellende wijzende vingers, neerhurkende leeuwen, springende vogels. De geest kan het niet nalaten. Maar soms, wat werkelijk adembenemend was, waren het domweg reusachtige muren van ijs, die zo dicht langs mijn raam dreven dat de rest van de wereld verdween. Een enorme blinde wand van oeroude, samengeperste sneeuw, die eeuwenlang (het diepste ijs is tienduizend jaar oud) vanaf het lege midden van Antarctica naar de kant was gegleden om een gletsjertong op het randje van de ijskap te worden en ten slotte af te breken – af te kalven is de juiste term – en op eigen kracht weg te varen. Ze koersen met een snelheid van vijf mijl per dag naar het noordwesten tot ze het punt bereiken waar de Zuidelijke IJszee zich met warmere zeeën vermengt. Sommige blijven wel tien jaar bestaan voor er onder invloed van de erosie en het smeltproces niets van over blijft.

In het ijs van de zuidpool is zeventig procent van de zoetwatervoorraad van de aarde opgeslagen. Op sommige plaatsen is de ijslaag vier kilometer dik. In de loop der eeuwen hebben mensen plannen gemaakt om de grotere ijsbergen als waterbron voor droogtegebieden te gebruiken. Het was alleen een probleem om de bergen van waar ze zich bevonden te transporteren naar waar ze nodig waren. Fantastische plannen om ze te slepen zijn op niets uitgelopen, want zodra ze in warmer water komen, is de kans om genoeg ijs aan land te brengen om een gin-tonic te koelen onredelijk klein. IJsbergen zijn een natuurlijke grondstof die de mensheid nog niet heeft weten te benutten – met uitzondering van Daniel en mijn manhattans. Hoewel zeeijs, pakijs, ijsnaalden, opnieuw bevroren ijslagen en dun drijfijs allemaal zout zijn – maar niet zo zout als zeewater –, bestaan de bergen die van het continent afbreken uit zuiver zoet water, zo zuiver en zoet als iets op deze planeet maar kan zijn. Door alle vervuiling beslist zuiverder dan wat uit onze kranen komt. En de bergen bevroren water die ik op het zeeoppervlak zag langsdrijven, waren, zoals iedereen weet, slechts het topje van de ijsberg. Negen tiende van elke berg bevindt zich onder de waterlijn en smelt sneller dan het stuk dat je kunt zien, waardoor ze uiteindelijk topzwaar worden en kapseizen. De kleinere, rondste bergen liggen in feite op hun kop, zijn omgedraaid en wankel geworden. Schotsen worden ze genoemd en ze zijn niet erg geliefd bij zeelieden, aangezien zij het zijn die in het donker ongemerkt dichterbij komen en schepen lek stoten, doordat ze moeilijker te zien zijn en vaak geen echo geven op de radar.

Het landschap aan de andere kant van mijn raam was bovenaards; ik vrees dat er geen andere werkelijk treffende beschrijving voor is. In de vroege ochtenduren was het licht flets en zilverig, enigszins nevelig. Als ik mijn ogen halfdicht deed, was er niets anders dan een spectrum van grijs, blauw en gebroken wit. Blauwgrijs, grijzig blauw en diverse blauwtinten misschien. Er kwamen op dat moment kolossale ijsbergen aan. Ik neem aan dat ze verwant waren. Ze kwamen in golven. Drie, vier, maar nee, het waren twee grote bergen. Ze moesten tegelijk zijn afgekalfd, of het was een grote berg die in tweeën was gebroken. Aan de horizon had een wolk zich zo te zien op zee laten zakken en veranderde in een volgende ijsberg. Je kon onmogelijk zien wat in de verte wolken en wat ijsbergen waren. Het zag er wollig uit, had dezelfde kleur als de hogere wolken, maar was duidelijk te onderscheiden, had een gedrongen vorm en lag plat op zee, al bleef het desondanks iets wolkachtigs houden. Het was echter geen wolk. Het veranderde al snel in één... twee afzonderlijke bergen. Het waren louter wolken en bergen, bergen en wolken. En daar, dicht bij het schip, stond een enkele pinguïn op een ijsberg die op een leeuw leek. De vogel dreef mee op de manen van de leeuw, stond roerloos recht vooruit te kijken. Ik had nog nooit eerder een pinguïn gezien die er heldhaftig uitzag. Het was tien voor halfvier in de ochtend en het daglicht was stralend en nevelig. We stopten ter hoogte van Deception Island, dat we na het ontbijt in zilverig licht naderden. De naam was alleen al de moeite waard om voor op te staan. Wie zou er in bed willen liggen terwijl je naar 'Misleiding' vaart? Het uitzicht vanaf de brug was onvergetelijk. Deception Island is een caldeira, een vulkaantop die is ingestort, waardoor een krater is ontstaan. Een deel is zo diep weggezonken dat er zeewater in de caldeira is gestroomd. Toen we de 'Blaasbalg van Neptunus' bij de toegang tot de krater naderden, kwamen er vloten pinguïns naar buiten om te kijken wat we waren en die zwommen nu eens onder, dan weer boven water met het schip mee. De zee was gefineerd met een patroon van zeeijs dat bestond uit rechthoeken die volmaakt scherpe hoeken hadden, kennelijk even dun als wafels en zuiver wit van kleur waren, en naast elkaar dreven, met smalle geultjes donker water ertussen. Het was een schaakbord van platte vierkante stukken drijvend ijs, zo vreemd en ordelijk als ik nog nooit had gezien. Het was schokkend toen het schip op weg naar de smalle toegang tot Deception door een van de grotere rechthoeken brak. De boeg van het schip spleet het drijfijs in twee stukken, die dronken steeds verder uit elkaar dreven terwijl wij ons er een weg doorheen baanden. Het had iets vreselijks, het verbreken van het patroon alleen omdat we erlangs wilden. Er was geen echte schade aangericht, maar er was iets kunstzinnigs in de natuur verschoven. Het ontwerp was bedorven. Maar hoe verder we in het schaakbord doordrongen, hoe meer we er deel van leken uit te maken. Het omringde ons al snel, een abstract schilderij van grote, maar tere, vierhoekige ijsplaten, die in het wazige zonlicht dreven, en een klein wit schip dat erdoorheen gleed. De zodiacs gingen aan land, maar ik bleef aan boord, stond op het dek achter op de boot de hele morgen naar de geruite oceaan te staren. Schaakmat.

Toen ik de volgende morgen wakker werd, voelde ik me nog steeds belabberd. Alles deed pijn; ik had een zwaar hoofd en voelde me ziek en kramperig. Ik kon me niet bewegen, zelfs niet om een pil te nemen, zelfs niet om te kijken of er ijsbergen waren. Ik had de hele nacht rondgespookt, uit het raam gekeken en gedoezeld, tot ik ten slotte om halfzeven weer in slaap was gevallen en laat was ontwaakt. Het was elf uur 's morgens en even licht als in de kleine uurtjes. Het was nu altijd licht, zo zuidelijk waren we. Doordat de afwisseling tussen licht en donker ontbrak, kon ik heel gemakkelijk blijven waar ik was. De oproepen voor het ontbijt, de lunch en de lezingen om de tijd te verdrijven, drongen niet door in het structuurloze bestaan van onophoudelijk daglicht en me ziek voelen.

Wat zou er van mijn zuidpoolavontuur terechtkomen als ik dagenlang in mijn kooi bleef liggen, vroeg ik me af. Of dát moest mijn zuidpoolavontuur zijn. Ik stond zeer argwanend tegenover mijn malaise. Ondanks de pijn en de misselijkheid was er een duidelijke vreugde waarneembaar omdat ik maar mooi ontkwam aan het rooster en de gebeurtenissen, en niet sociaal hoefde te doen. Ik vermoedde dat het waarschijnlijk mijn psyche en niet mijn immuunsysteem was geweest die zich ertegen had verzet gezellig met zoveel mensen bij elkaar te zijn. De psyche had het lichaam echter met succes overgehaald voor enkele indrukwekkende symptomen te zorgen, goed genoeg om als een kluizenaar te kunnen leven zonder dat ik mezelf ervan hoefde te beschuldigen dat ik asociaal was. Hoewel ik dat toch deed. We voeren Admiralty Bay binnen, waar bultruggen zouden moeten zijn. We hadden nog geen walvissen gezien. Nou, als er iets te zien was, kon ik uit mijn raam kijken. Maar alleen als ze toevallig aan mijn kant van het schip waren. Ik wilde niet samen met een hele schare mensen op de brug of aan dek walvissen zien. Ik wilde niet in een menigte naar walvissen kijken, ook al zou ik ze daardoor missen. Ik wilde door mijn eigen raam mijn eigen walvis zien, helemaal alleen. Of niet. Ik stelde me voor hoe ik bij mijn terugkeer in Engeland aan vrienden zou uitleggen dat ik geen enkele walvis had gezien. Verkeerde kant van het schip. Ik ben er niet voor uit bed gekomen. Lieve help.

De volgende morgen zouden we op Paulet Island aan land gaan. Buiten zag het er heel bizar en buitenaards uit. Ik moest mezelf steeds voorhouden dat ik op dezelfde planeet was. Niet op de maan. Misschien was deze ziekte of nonziekte – ik was er die nacht in geslaagd wat gele gal uit te spugen, waardoor ik me iets geloofwaardiger voelde – paniek omdat ik niet kon ontsnappen, nooit kon ontsnappen. Hier waren we aan het eind van de wereld en het was nog steeds dezelfde planeet. Ik was graag ergens anders geweest. Verder weg. De ene morgen was ik ontsteld omdat er nergens land in zicht was en de volgende was ik neerslachtig omdat ik niet volkomen aan de wereld kon ontsnappen. Niet erg consequent, hield ik mezelf voor. Ik haalde mijn schouders op. Ik vroeg me eindelijk af of ik mezelf ervan zou weerhouden op de zuidpool aan land te gaan. Wat merkwaardig om zo'n hele reis te maken en dan niet op het schiereiland aan land te gaan. Bij die gedachte verscheen er een klein maar onmiskenbaar innerlijk glimlachje. Ik lokaliseerde een strakke ondergrondse knoop van onwil om voet op het laatste continent te zetten alleen omdat ik daar toevallig was. Hoewel ik er uiteraard niet toevallig was. Dit was een plek waar niemand toevallig is. Daardoor werd het des te leuker en/of verontrustender – de twee emoties waren onlosmakelijk met elkaar verbonden – om de mogelijkheid te overwegen niet aan land te gaan. De gedachte dat ik wellicht geen voet op het continent zou zetten, ondanks alle moeite die het me had gekost om er te komen, gaf grote voldoening. Ik dacht na over andere waagstukken: ik zou in de Gobi kunnen nalaten zand door mijn vingers te laten lopen; ik zou me acht meter van de top van de Anapurna kunnen omdraaien om terug te gaan; ik zou ervoor kunnen zorgen dat ik vermomd een initiatieceremonie van de vrijmetselaars kon bijwonen om dan bij de deur mijn schouders op te halen en weg te lopen. Ik kon gemakkelijk naar Agra gaan zonder een blik op de Taj Mahal te werpen – al te gemakkelijk. Of een reis naar Brazilië die volledig werd doorgebracht binnen de gekoelde ruimte van het Brasilia Sheraton? Of een bezoek aan elk vliegveld in Afrika zonder een voet op het continent zelf te zetten? Als resistente reiziger kon ik tot aan mijn laatste snik bezig blijven om me vervolgens bij de hemelpoort te excuseren en me om te draaien. Het gaat niet om de aankomst maar om de niet-aankomst... Het gaat niet om het zien van walvissen, maar om de mogelijkheid ervoor te kiezen ze niet te zien. Dat is een aspect van me dat ik in elke periode van mijn leven terugzie. De Val-doodfactor. *Ik hoef het niet te doen als ik dat niet wil.* Het heeft weleens op gebrek aan doorzettingsvermogen geleken. 'Het ontbreekt jou aan volharding, kindje,' zei mijn o zo vastberaden vader tegen me. Ik zette nooit door met tekenen, breien en het verzamelen van postzegels. Verloor mijn belangstelling als ik twee derde of zelfs negen tiende klaar had. Ik werd van school gestuurd. Ik ging twee weken voor mijn eindexamen van school af. Ik dwaalde uit relaties weg. Soms zette ik films op de televisie een paar minuten voor het eind af; dat doe ik nog weleens. Massa's mensen hebben elkaar veelbetekenend toegeknikt: 'Ze kan gewoon niets afmaken.' Maar niemand heeft het ooit over de opwinding om iets niet af te maken. De golf van vreugde om niet te doen wat er van je wordt verwacht, om niet te doen wat je van jezelf verwacht. Om iets niet te doen. Oorspronkelijk was het er wellicht om gegaan andere mensen teleur te stellen, maar het was inmiddels verfijnd tot een manier om mezelf een plezier te doen. Om de keus minder onvermijdelijk te maken. Maar het is geen vast principe. Alleen iets wat ik af en toe zie gebeuren en wat met oprechte tevredenheid gepaard gaat. Deze keer had ik mezelf in een vroeg stadium betrapt. Behalve natuurlijk als ik gewoon niet lekker was. Daar weet jij niets van en ik wil het wellicht niet zeggen.

Ik werd gegrepen door het begrip bereidwilligheid. Terwijl ik uit mijn raam staarde, zag ik mezelf in de toekomst, na de reis, weer terug in Londen. Was ik wel of niet op de zuidpool geweest? Op dat heerlijke moment wist ik werkelijk niet hoe het antwoord zou luiden. Het zou voor de wereld, en in feite ook voor mij, geen enkel verschil maken als ik niet werkelijk op het vasteland van de zuidpool had gestaan. Er wel geweest, maar dat niet gedaan. De belachelijkheid en de geheimzinnigheid ervan spraken me aan. Het was iets volstrekt persoonlijks. Ik kon thuis zeggen dat ik het wel had gedaan terwijl ik het niet had gedaan. Wat zou het uitmaken? Of, toen ik eraan dacht, zeggen dat ik het niet had gedaan terwijl ik het wel had gedaan. En toen ik dat had gedacht, deed het er niet meer toe of ik het in werkelijkheid wel of niet zou doen. Mijn leven zou er geen spat door veranderen en bovendien zouden alleen ik en een handjevol medereizigers weten hoe het zat en zou het ons geen van allen iets kunnen schelen. Het besluit werd volkomen theoretisch. Ik kon kruis of munt gooien: kruis ik ga aan land, munt ik blijf in mijn kooi liggen – en dan niet gaan als het kruis werd. Of net andersom. Ik mocht me dan niet goed voelen, maar was wel in een jubelstemming. Ik hoefde geen keus te maken, geen wilskracht te tonen (ik zou, ik hoor, ik moet); er was geen moreel dilemma, maar iets volkomen willekeurigs. Een groot gevoel van vrijheid daalde als een zuiver wit dekbed van ganzendons rustig op me neer, en als je het zo bekeek, had vrijheid veel weg van onzekerheid toen de zuidpool in Schrödingers kist glipte en zelf bedaard het deksel dichtdeed. Ik had geen idee of ik de volgende dag zou opstaan om aan land te gaan of niet. En afgezien van een paar uit alle hoeken van de Verenigde Staten afkomstige Amerikanen zou niemand zeker weten wat ik uiteindelijk had gedaan. Dat was, om redenen die ik niet al te nauwkeurig wil bekijken, een enorme troost. Wat had al dat gedoe om naar de zuidpool te gaan trouwens te betekenen?

Het boek dat ik over de reis en mijn moeder zou schrijven zou mijn eerste volledige non-fictiewerk zijn, zo luidde de afspraak. Dat betekende voor mij dat ik er geen roman over zou schrijven. Dat lag voor de hand. Wie zou nou afspreken om een roman te schrijven over een reis die echt was gemaakt? Zo zijn romans niet. Maar verder behield ik me mijn eigen oordeel voor ten aanzien van wat non-fictie is. Er zijn oneindig veel manieren om de waarheid te vertellen, inclusief fictie, en oneindig veel manieren om de waarheid te ontwijken, inclusief non-fictie. De waarheid of het tegenovergestelde van een boek over de zuidpool en mijn moeder, zo zag ik vanuit mijn slingerende kooi in hut 532, was niet afhankelijk van het bereiken van mijn bestemming. En evenmin van het niet-bereiken daarvan. Ik merkte dat ik plezier in non-fictie begon te krijgen.

Een volgende dag en de intercom meldde dat we het zuidelijkste punt van onze reis hadden bereikt: 63,42°Z 55,57°W. We waren in de vroege uren bij de Antarctische Baai aangekomen. Mijn landingsdilemma was in elk geval voor die morgen opgelost. Het pakijs was te dik om bij Paulet te kunnen komen en het zag er niet al te best uit voor het bezoek aan het Schiereiland in Hope Bay, dat voor die middag op het programma stond. Het leek erop dat niemand voet op de zuidpool zou zetten en mijn besluit zou, als zo vaak, uiteindelijk helemaal geen besluit zijn. Butch deed echter zijn best voor ons en organiseerde in plaats van een wandeling over Paulet een zodiactochtje door het grote veld ijsbergen dat ons omringde. De zon brandde aan de andere kant van mijn raam en de zee was ijzig vlak. Er was geen rimpeling te zien op het turkooizen oppervlak, niets anders dan het scherpe spiegelbeeld van de ijsbergen. Plotseling dacht ik dat ik me misschien iets beter voelde. Tijd om op te staan. Ik wilde heel graag dicht bij de suikerbergen komen en vlak bij het oppervlak van de schitterende zee zijn.

Na de paar eigenzinnige, asociale dagen in mijn hut, werd ik in de gangen, in het modderhok en aan dek door iedereen die ik zag, begroet en verwelkomd, en werd me gevraagd hoe het met me ging. Ze hadden mijn afwezigheid opgemerkt en Marjorie en John uit Phoenix gevraagd of alles wel goed met me was. De zorg die de mensen toonden, vervulde me met enige schaamte. Ik schaamde me deels omdat hun aandacht me een tikje ergerde. Als ik me heb teruggetrokken, houd ik er niet van dat daarover wordt nagedacht of dat men zich daarover verbaast. Dat was zo onvriendelijk in vergelijking met de vrijwel onbekende mensen die zeiden dat ze blij waren me weer te zien rondlopen, dat ik niet erg tevreden was over mezelf.

Er was geen ander geluid dan het gesnor van de zodiacmotor. Er was geen wind, geen gekrijs van pinguïns, en toen de zodiac aan de voet van een ijsberg stopte, was er geen enkel ander geluid dan het geklots van water tegen de ijsmuur. De zon scheen en de zee was donkergroen met fonkelende lichtjes, die schitterden als lovertjes. Het oppervlak was rustig, werd slechts flauw gerimpeld door de bries, was bijna stroperig. Een kreukvrije oceaan. Tussen de ijsbergen, die nu heel gewoon maar nooit saai waren, bevond zich vlak drijfijs, platen van ruim een meter dik waarop krabbeneters rondlummelden en zich vol zon lieten lopen. Zolang we niet te dichtbij kwamen, weigerden ze zich er druk om te maken dat we daar rondscharrelden. Als we te dichtbij kwamen, lieten ze zich ongehaast in zee glijden en verdwenen.
Het is een heel bijzonder gevoel om aan de voet van een ijsberg op de zee te deinen. De wand van de ijsberg straalde kou uit en ik tuurde in de geheime spleten die naar het donkerblauwe hart van het ijs voerden. De wereld was stil en vlak, met uitzondering van de ijsbergen, die boven ons uittorenden terwijl we er zigzaggend tussendoor voeren. Het schip lag wit en stil als een ijsberg ten anker, hoorde daar, was de zoveelste mythische vorm in het landschap en leek zich niet op te dringen. Het was mysterieus en vredig, een sterke benadering van vergetelheid, maar bedrieglijk. Het

was geen plek, hoewel het een positie op een zeekaart was. Niets in die streek zou ooit weer precies hetzelfde zijn, doordat het drijfijs en de ijsbergen wegdreven en smolten, stormen de op dat moment kalme zee zouden opzwepen, robben er tijdelijk verbleven en eskaders pinguïns als vliegende vissen op- en neerduikend om het schip in de verte heen zwommen. Alles in dit landschap zou veranderen, maar zou ook in wezen hetzelfde blijven, doordat louter de elementen werden vernieuwd. Het straalde zo'n innerlijke rust uit dat je hart ervan ineenkromp. Andere landschappen zijn onrustig (regenwouden vol planten en dieren die om voedsel schreeuwen, heidegebieden die verwaaien en worden geteisterd door bijtende, vervormende winden, bergen die beven onder het gewicht van de sneeuw), maar dit was werkelijk een droomplek waar het smeltproces en de beweging de onveranderlijkheid slechts leken te versterken. Niets blijft er hetzelfde, maar er verandert ook niets.

Wat had het echter voor zin, vroeg ik me af, om dit magnifieke lege landschap te zien en dan weer verder te gaan? Die vraag was vermoedelijk één reden voor het tempo waarin de fototoestellen erop los klikten. De foto was het bewijs voor jezelf, niet echt voor anderen, dat je er was geweest. Het enige bewijs dat er ooit iets anders was gebeurd dan een aanval van je verbeelding en je onvolmaakte geheugen. De foto zorgde er ook voor dat er tijdens de ervaring iets gebeurde, alsof het ervaringsmoment op zich niet genoeg is. Als je alleen maar keek en weer vertrok, wat had het dan voor zin gehad dat je er was geweest als je weer thuis was? Het was niet moeilijk om je zo'n landschap voor te stellen, om er in het gerief van je eigen huis een in gedachten op te bouwen en er helemaal alleen onbeperkte tijd in door te brengen. In het echte leven kijk je, trek je erdoorheen en ga je weg – je maakt een foto om de activiteit minder belachelijk te maken. Daardoor heb je iets om handen terwijl je probeert te ervaren dat je die ervaring ervaart. Maar hoe ga je, zoals ik wilde, deel uitmaken van dat landschap, erbij horen; hoe voorkom je dat het louter een bliksembezoek is? Ik kreeg slechts een voorproefje van iets, zag de trailer van een film die ik nooit zou zien. Ik zou deze herinnering aan een plek in de roerloze veranderlijkheid mee terugnemen en toevoegen aan de zuidpool in mijn hoofd. Ik vroeg me af of het een bruikbare toevoeging zou zijn als de ervaring eenmaal voorbij was.

Maar ik was hut 532 vergeten. Dat was werkelijk een nieuwe ervaring geweest, iets wat ik nog niet had verzonnen en waarvan ik nog nooit had gedroomd, een plek die ik niet door middel van de foto's van anderen had kunnen bezoeken. Hut 532 was echt iets nieuws om mee terug te nemen naar Londen en mee te spelen.

Een goed heenkomen in Hove

We hebben in mijn familie nooit een sterke levensdrang gehad. Ik had mijn eigen versie, die ik heb uitgewerkt tot een hartstocht voor vergetelheid. Het is serieus begonnen op mijn veertiende, toen ik ontdekte dat het snuiven van ether, die ik uit het scheikundelaboratorium op school had gestolen, me voor mijn gevoel gedurende enkele levens kon verdoven, hoewel me als ik weer bijkwam, werd verzekerd dat ik maar een paar minuten buiten westen was geweest. Ik genoot van die verlenging van de existentiële leegte. De ether was een van de redenen waarom ik van school werd gestuurd.

Toen ik mijn moeders Nembutal in haar kamer in Hove innam, deed ik dat omdat ik wilde dat alles ophield. Ik had niet duidelijk in mijn hoofd dat ik zelfmoord wilde plegen, alleen dat alles moest ophouden – hetzelfde resultaat, maar een ander gevoel. Later, toen ik aan het eind van de jaren zestig niet meer op school zat en alle drugs begon te gebruiken die maar te krijgen waren, vond ik niets zo heerlijk als opgeloste Nembutal die rechtstreeks in mijn aderen werd gespoten. Dat leidde ertoe dat ik ogenblikkelijk volkomen bewusteloos was. Jaren later bedacht ik pas dat dit een bijzonder bizarre manier van lol hebben was, maar ik was ook niet echt op lol uit, ik was uit op het niets. Tussen mijn moeders Nembutal en mijn eigen Nembutal in heb ik enige tijd in psychiatrische inrichtingen doorgebracht, waar ik werd behandeld omdat ik depressief was; voor mij waren het echter veilige oorden, lege oorden met witte lakens waar niets gebeurde. In feite was het bestaan in het gekkenhuis heel levendig, gebeurde er van alles en volgde het ene drama op het andere, maar altijd binnen de hermetisch afgesloten wereld van de inrichting. Het leven zelf, het kopen en doen en déélnemen, stond op pauze en dat wilde ik zo houden. Ik hoefde niets te doen aan het leven van iedere dag. De inrichtingen waren kloosters voor wie het leven ontvluchtte, gesloten, veilig en met eigen regels om je van alles los te maken. De andere patiënten en ik waren de bewoners en waren nauw met elkaar verbonden in een samenzwering de wereld buiten ons dagelijks leven te houden. We leefden uitsluitend met elkaar; iedereen vanbuiten was een indringer die het recht niet had ons bestaan binnen te komen. We zorgden voor elkaar en beschermden elkaar tegen bezoekers vanbuiten en familie die ons aanspoorde 'beter te worden'. Zelfs zuster Winniki was te verkiezen boven het verder gaan met je eigen leven. Ik wilde niet functioneren, wilde geen eigen leven leiden, wilde niet iets bereiken. Ik wilde alleen met rust worden gelaten.

Het is heel pijnlijk om depressief te zijn, maar het leidt ook tot stilte en afwezigheid. Er is een paradox. De pijn, een echte kwelling, is ondraaglijk. Ik zou er bijna alles voor overhebben om die niet te ervaren, maar de stilte en afwezigheid van de plek waar de depressie je naar toe brengt, maken het mogelijk tevredenheid dicht te naderen. Dat wil niet zeggen dat ik mijn depressie bewust onder controle had, alleen dat ik ontdekte dat als ik de pijn uitzat, ik soms een plek van absolute vrede en rust bereikte. Dit is geen verklaring over de waarde van depressies. Depressies zijn een ellende; onder de verkeerde omstandigheden, als je geen steun hebt, of als er mensen van je afhankelijk zijn, kun je de pijn niet uitzitten. En als er op een of andere manier aan die voorwaarden wordt voldaan, voert het uitzitten van de pijn altijd nog het zeer reële gevaar met zich mee dat je het niet zult overleven. Maar ik was nu eenmaal depressief en ik had steun, en daardoor ontdekte ik dat het na enige tijd mogelijk was een soort vreugde te bereiken die volkomen los stond van de wereld. Ik wilde onbereikbaar zijn, wilde zonder de pijn op die plek zijn. Dat wil ik nog steeds. Het is er wit en vol van een zingende stilte. Het is een eindeloze ijsbaan. Het is de zuidpool.

Een week voor mijn terugkeer van de zuidpool was Chloe samen met haar vader voor twee weken naar Zuid-Afrika vertrokken. Het huis was leeg toen ik thuiskwam. Ik houd van de stilte van een lege flat als ik ben weg geweest; daardoor kan ik de plek weer in bezit nemen. Boven op de stapels post op de keukentafel lag een briefje van Chloe, waarin stond dat ze alles wat er interessant uit had gezien had opengemaakt, maar dat niets dat uiteindelijk was geweest. Op het bureau in mijn studeerkamer lag een stapeltje papieren met daarbovenop een ander briefje van Chloe: 'Wat je vader en moeder betreft, ik ben met pap naar Hove geweest, naar het huis van je moeder.'

Hove was de plaats waar mijn moeder het laatst had gewoond, waar ik voor het laatst slechts twee dagen bij haar had gewoond, nadat ik uit Banbury was weggelopen, bij mijn vader en Pam vandaan.

Chloe had het druk gehad tijdens mijn afwezigheid. Boven op de stapel lagen een paar aktes. De bovenste was mijn vaders geboorteakte. Hij was op 15 oktober 1908 geboren in Bethnal Green, had de naam Israel gekregen en was de zoon van Sam en Golda Zimmerman. Sam, die net uit Polen was gekomen, was nog bontwerkersknecht geweest en hij had kennelijk in het Hebreeuws getekend, waaronder de ambtenaar van de burgerlijke stand had aangetekend: 'De handtekening van Sam Zimmerman, vader.' Daaronder lag een overlijdensakte die de dood meldde van James Simmonds, zevenenvijftig jaar oud, vertegenwoordiger, te Banbury. Hij was op 20 april 1966 overleden aan een myocardinfarct en kamerfibrilleren.

Ik kan moeilijk beoordelen wat voor reis het is geweest van Israel Zimmerman, de zoon van Sam Zimmerman, naar James Simmonds, maar ik geloof niet dat hij de moeite waard is geweest. Ik weet dat mijn vader een teleurgesteld man was, maar ik ben er niet zeker van of hij daar goede redenen voor had. Ik heb een brief van hem, die hij me heeft geschreven toen ik zestien was en in Londen woonde, nadat ik door de vrouw die had gevraagd of ik bij haar wilde komen wonen, weer naar school was gestuurd om een basisdiploma te halen. Hij woonde in Banbury met de alledaagse, saaie, maar toegewijde Pam, de vrouw die hij, toen ik bij hem woonde, twee keer tevergeefs had proberen te verruilen voor een meer opwindend type, waarna hij naar haar was teruggegaan om zich ten minste van huiselijk comfort te verzekeren. Het was ongeveer een jaar voor zijn dood. Hij klaagt dat ik niet vaak genoeg schrijf:

Ik ben hoe dan ook de enige vader die je ooit zult hebben, lieverd, maak er dus maar het beste van.

Ik ben heel blij te horen dat mamma in een verstandige fase zit – hopelijk blijft dat deze keer zo.

Hoe gaat het met je werk, schatje? Schrijf je nog wat? Ik heb een tijdje met het idee gespeeld me eens aan een autobiografie te wagen, maar ik kan me er niet toe zetten. Net als met de meeste dingen is het de moeite gewoon niet waard! Wat zou Errol Flynn echter kunnen schrijven dat ik niet zou kunnen overtreffen?

Een ontnuchterende gedachte. Veel liefs, pap

Hij had het aan het eind van zijn leven vaak over Errol Flynn, dat de avonturen van de losbandige filmster niets waren vergeleken met de zijne. Dat werd meestal nogal nors gezegd vanuit een diepe, met chintz beklede leunstoel in de woonkamer in Banbury. Realiteitszin was geen sterk punt van mijn vader. Een andere brief is in diezelfde tijd geschreven, kort nadat ik kennelijk tegen mijn zin een weekend bij hem en Pam in Banbury had doorgebracht. De brief luidt deels:

Ik was heel blij je van het weekend hier te zien, maar ik heb op een of andere manier het gevoel – heel sterk – dat je het niet erg leuk vond om hier te zijn. Die indruk kreeg ik zodra je er was en veranderde niet toen ik bij je vandaan reed.

Heeft het nog maar zo weinig zin om contact met elkaar te hebben? Geeft het je geen enkele voldoening meer om bij me te zijn en mijn huis ook als het jouwe te beschouwen?

Hoe onafhankelijk je je ook mag voelen, je zult maar al te vaak behoefte hebben aan je eigen familie en een plek die je thuis kunt noemen. Wat probeer je te bewijzen?

Onafhankelijkheid? Dat is onzin, want iedereen heeft op een bepaald moment iemand nodig.

Dan klaagt hij dat ik verkwistend ben en te veel rook, wat ongetwijfeld allebei waar was.

Ik heb besloten dat het beter voor je is als ik je niet je gebruikelijke zakgeld stuur, maar het voor je op de bank zet om er vervolgens premieobligaties voor te kopen die je niet zo gemakkelijk kunt uitgeven. Ik hoop dat je daardoor minder sigaretten zult kopen en er met meer financiële zekerheid de vruchten van zult plukken. Probeer alsjeblieft verstandig te zijn, schatje. Liefs, pap.

Mijn vader was een fantast, maar aan het eind van zijn leven hadden zijn dromen een huiselijk en opbouwend karakter gekregen. Het waren – voor hem – ongegronde fantasieën over een hechte familieband en sociale verantwoordelijkheid. Ik las zijn brieven met knipperende ogen doordat ze verrassend genoeg schenen voort te komen uit een normaal huiselijk leven. Ik had er geen bezwaar tegen gehad om de moeilijke, rokende en verkwistende tiener te zijn van perplexe, liefhebbende ouders die niet begrepen waarom ik zo lastig was geworden. Hij was er op mijn elfde vandoor gegaan, had ons zonder een cent achtergelaten en was slechts in mijn leven teruggekomen doordat ik hem had gevonden. Ik had een tijdje bij Pam en hem gewoond, stil en woedend vanwege de transformatie die mijn vader had ondergaan. Op een bepaald moment had hij iemand anders leren kennen en waren hij en ik samen in een flat gaan wonen. Toen de nieuwe relatie was stukgelopen, was dat volgens hem door mij gekomen, doordat ik niet lief genoeg was geweest voor de nieuwe vrouw. Daarop waren we teruggegaan naar Pam en had ik uit de gratie gelegen. Nadat ik had gevraagd of ik weer naar kostschool mocht en daar was weggestuurd, had ik niet meer naar school gemogen – 'Ik heb in mijn leven heel wat stommiteiten begaan, Jenny, maar ik ben nooit van school gestuurd.' En uiteindelijk, in dat late stadium van onze betrekkingen, was zijn waanidee van goed vaderschap, zij het op afstand, erop uitgelopen dat hij me de waarde van geld bijbracht ('Hoewel je dat heel goed zelf zou kunnen weten, ben je nog steeds verkwistend,' had in zijn brief gestaan) en dat hij zich er zorgen over maakte dat ik rookte. Het was net alsof ik keek hoe een man deed of hij met zijn gezin boven op een klip stond, terwijl hij allang naar beneden was gevallen. Ik hield niet van de leugens die hij zichzelf voorhield, maar ik begreep waarom hij dat moest doen. Ik was slechts kwaad om het verlies van de man die me zo vaak aan het lachen had gemaakt. Die man was spoorloos verdwenen, zo volkomen dat ik me moest afvragen of hij wel ooit had bestaan. Zijn dromen waren zo saai, zo gewichtig geworden. Dat heb ik hem nooit gezegd; ik zette zijn brieven gewoon schouderophalend van me af.

Niet lang nadat ik die brief had gekregen, een jaar voor zijn dood, nam hij me mee uit lunchen en gaf me een envelop die ik pas mocht openmaken als hij weer naar Banbury was teruggegaan. Ik ging naar de wc en las de brief. Het was een zelfmoordbriefje ('Als je dit leest...') en de envelop bevatte eveneens het registratiebewijs van zijn auto, die ik zou krijgen zodra zijn nalatenschap was geregeld, en de details van zijn levensverzekering, waarvan ik de opbrengst zou krijgen 'na Pams verscheiden'. Hij bracht me domweg op de hoogte van zijn komende zelfmoord, zonder een andere reden te geven dan dat hij het niet langer aankon. De brief moest me vooral duidelijk maken wat ik wel en niet zou erven.

Ik ging terug naar ons tafeltje, bevroren, zonder iets te zeggen, haalde tot zijn vertrek nauwelijks adem en stortte toen in. Ik had hem gewoon laten gaan, zonder de brief te noemen, had gedaan of ik hem niet had gelezen. Ik had hem er niet eens van proberen te weerhouden. Ik werd als een huilend hoopje naar bed gebracht. Toen ik de volgende dag zijn nummer belde, nam hij op, klonk joviaal en repte met geen woord van de brief. Ik ook niet. Ik heb het contact met hem verbroken. Toen is hij overleden aan een hartaanval.

Er lag nog een andere akte in de stapel papieren die Chloe voor me had achtergelaten. Die verklaarde dat Rachel Simmonds, ook wel Rene Simmonds geheten, meisjesnaam onbekend, op 28 maart 1988 was overleden in het Royal Sussex Hospital te Brighton. De doodsoorzaak was a) een subduraal hematoom b) talloze metastasen en c) kanker van de pancreas. Een zekere Betty Young had haar dood officieel aangegeven en het lichaam laten cremeren. De overledene had het laatst gewoond op Third Avenue 3 te Hove, East Sussex.

Mijn moeder was dood, maar toen ik de akte boven op de stapel legde, werd ik het sterkst getroffen door de gedachte dat ze na onze laatste ontmoeting nog twintig jaar had geleefd. Dat wil zeggen dat ze al die tijd in léven was geweest terwijl ik mijn eigen leven had geleid. Dat ze leefde toen ik in het gekkenhuis zat, aan de drugs was, les gaf, mijn dochter kreeg en mijn eerste twee boeken publiceerde. Ze was in Hove geweest toen ik die dag met Chloe naar Brighton was gegaan en grapjes had gemaakt over het wegrennen voor gekke oude dames. Het was alsof het schilderij van mijn verleden er een schaduw bij had gekregen, een nieuwe aanwezigheid, die er los van stond, maar dreigend om elke hoek op de loer lag. Niet dat ze iets van me had geweten, want mijn naam was veranderd, maar ze was er gewéést, in de wereld, had parallel aan mij en mijn bezigheden geleefd en geademd. De overlijdensakte bevestigde, in de allereerste plaats en uiterst schokkend, niet dat ze dood was, maar dat ze tot 1988 had bestaan. Niet dat ik overtuigd was geweest van haar dood, alleen had ze door de onzekerheid gewoon niet meer voor me bestaan. Maar ze had wel degelijk bestaan. Ze had al die tijd rondgelopen, geleefd, geademd, gedacht. En het verleden zag er onmiddellijk donkerder en wanordelijker uit dan ik het me tot dan toe had voorgesteld. Tot aan 1988 had ze, achteraf gezien, contact kunnen zoeken, had ze, zoals ik in de bangste vroege uurtjes had gevreesd, weer in mijn leven kunnen opduiken. Dat had ze niet gedaan, maar ze had het kunnen doen. Ze had alleen de afgelopen acht jaar echt niet meer bestaan; ik was pas sinds 1988 werkelijk een wees, echt veilig.

Toen Chloe haar laatste adres op de overlijdensakte had gevonden, was ze met Roger naar Hove gegaan om wat speurwerk te verrichten. Onder op de stapel lag haar voor mij uitgetypte beschrijving van wat ze te weten was gekomen:

Third Avenue 3, Hove
Flat 3: Thomas Dinges, de conciërge
Flat 4: Rene Simmonds
Flat 6: John T.
Flat 8: Bill E.
Flat 11: De Geschifte Afwasser

Deze inleiding had de plezierige afstand van een toneelstuk. Pinter misschien. Het ging verder:

Een brede straat en toen we erheen gingen, zag alles er grijs uit, maar een lichte, heldere kleur grijs, met een blauwe zee op het eind. Een heel groot, vrij donker gebouw, maar niet echt grauw, daarvoor waren de ramen te groot en de bakstenen niet donker en smerig genoeg. Waarschijnlijk Victoriaans. De lokatie verbaasde me, want als je uit het voorkamerraam naar rechts keek, zag je ongeveer tweehonderd meter verderop de zee. Rene's flat lag niet aan die kant.

De intimiteit van dat 'Rene' was verrassend. Ik had me weleens afgevraagd hoe ik haar zou noemen als ze weer zou opduiken. 'Mamma' was uitgesloten. 'Rene' kon evenmin, aangezien dat erop had kunnen wijzen dat ik bereid was haar te aanvaarden en voor haar te zorgen. Misschien, had ik besloten, zou ik haar mevrouw Simmonds noemen, de naam die ze, zoals nu bleek, tot aan haar dood was blijven voeren. Mevrouw Simmonds klonk mooi afstandelijk en neutraal. En het was mijn naam niet. Waarna ik de strikvraag van me had afgezet met de verzekering dat ze niet zou opduiken. Maar Chloe had tijdens haar speurtocht kennelijk een soort relatie met haar gekregen, al was ik blij dat die niet intiem genoeg was om haar oma te noemen.

De deur stond open. Ik geloof dat studenten bezig waren naar flat 2 op de begane grond te verhuizen. Flat 4 ligt recht tegenover de voordeur en eerlijk gezegd drong het niet echt tot me door dat ze daarachter had gewoond. Ik was te druk bezig de andere huurders te pakken te krijgen en voor Sherlock te spelen. We zijn onderaan begonnen en hebben alle bellen geprobeerd, een stuk of elf, twaalf, en kregen nergens gehoor tot we bij nummer 6 kwamen. John T. deed niet erg verbaasd toen we de naam noemden, was blij dat we tegen hem praatten en vroeg of wij soms boven wilden komen of dat hij beneden moest komen. Wij zijn naar boven gegaan. Kan me de lucht niet herinneren, die zal wel niet erg opvallend zijn geweest, waarschijnlijk muf. Brede trap, die steeds donkerder werd, maar de imposante indruk maakte die al die Victoriaanse gebouwen nastreven – dat lukt beter in de grotere gebouwen. Misschien is dat alleen mijn idee, maar die indruk heb ik altijd als ik een groot oud huis in ga. Ik zou het als kind heel leuk hebben gevonden. Maar het is eigenlijk armoedig en somber.

Ik genoot van al die details. Ik herinnerde me de somberheid. Niet van dat huis, maar van waar ze maar had gewoond toen ik bij haar was geweest.

Er zijn op elk niveau twee zitslaapkamers. Op de overloop is een soort muur, waar de twee deuren achter liggen. Flat 6 lag aan de achterkant van het gebouw, en toen we daar kwamen, deed John open. Hij is dichter. Zijn kamer is klein en rommelig, met overal boeken en spullen, en als ik er nu aan terugdenk, zie ik alles in het beige. Hij woont waarschijnlijk alleen, maar er is een jongere man bij hem. Hij is in de zestig en heeft een paardenstaart. Hij heeft een vermoeid gezicht, dat jij waarschijnlijk 'interessant' zou noemen, en er hangt een sjekkie uit zijn mond. Hij is een beetje smoezelig en is aardig, maar vreemd. Hij geeft poëzie uit. Er liggen massa's boeken van Stephen King, maar zijn boekenkast is nogal klein voor een literaire figuur, of hij moet zijn boeken weggooien, maar hij gaat waarschijnlijk naar bibliotheken. Er is een dossierkast met het opschrift 'Poëzie'. Niet overdreven vriendelijk, maar waarschijnlijk intelligent, hij had al gedacht dat mijn nieuwsgierigheid als sentimentele kleindochter niet het enige motief was – dat wil zeggen, dat zei hij toen ik hem had verteld dat jij misschien een boek zou gaan schrijven. Hij dacht dat we dichters waren die een uitgever zochten. Zodra ik hem van het boek vertelde, glimlachte hij in elk geval veelbetekenend naar me en zei: 'Ik begrijp het, aangezien ik me zelf ook met literatuur bezighoud.' Maar hoewel hij Rene had gekend, waren ze niet intiem geweest. Ze had erg teruggetrokken geleefd, zei hij. Sommige huurders van Third Avenue hebben in een andere straat gewoond. Dat huis is in een advocatenkantoor veranderd en daarom zijn ze allemaal hierheen verhuisd. Rene had in haar oude zitslaapkamer (die jij kende) met een man samengewoond die Jack heette. Hij is een à twee jaar voor de grote verhuizing gestorven. Ze had ook een vriendin gehad die Jean heette. Maar die is ongeveer tegelijk met Rene overleden. Ze had het tegen John T. nooit over jou of je vader gehad. We zijn ongeveer tien minuten gebleven en hij zei het grootste deel van de tijd: 'Ik wou dat ik je meer kon vertellen, maar verder weet ik niets van haar,' of iets in die trant.

Jack zal wel de man zijn geweest die me in de inrichting heeft opgezocht. Ze woonde dus met hem samen. Nou, ik was blij dat ze niet alleen was geweest. Vond ik het erg dat ze het met John T. nooit over mij had gehad? Het viel me op.

Misschien had ze alles, mijn vader en mij, haar pech, achter zich gelaten. Misschien had ze samen met Jack een echt leven voor zichzelf opgebouwd.

We wisten niet of we naar de deur van Flat 8 zouden gaan of zouden aanbellen. We besloten gewoon aan te kloppen, maar het duurde heel lang voor de man opendeed – ik geloof dat hij een beetje bang was. Toen Bill E. eenmaal had opengedaan en mij zag, was het in orde. Ik geloof dat hij zich bij mij veiliger voelde, want hij bleef maar naar mij kijken, niet naar pap. We zijn niet bij Bill binnen geweest, zijn gewoon in de gang blijven staan. Hij heeft vrij lang grijs haar, mist een tand en heeft een doordringende blik, maar maakt een aardige indruk. Ik was me sterk bewust van de gekken achter de gesloten deuren, want iedereen die ik ontmoette, was licht gestoord, al zijn het gewoon normale mensen. Hij wist meer. Zei dat je moeder en Jack elkaar altijd naar de keel waren gevlogen en dat het huis had gedreund van hun ruzies.

Ach, er was toch niets veranderd. Deze Rene begon duidelijker in beeld te komen als de vrouw die ik ooit had gekend. Mijn moeder en Jack, die elkaar doorlopend naar de keel vlogen in het huis van de licht gestoorden. Die er het beste en het slechtste van maakten.

Maar na Jacks dood 'wilde ze niet meer leven... niets om voor te leven... geïsoleerd...' Ik denk dat ze niemand had en met niemand iets te maken wilde hebben. Bill zei dat hij eens een gesprek met haar had gehad over haar exman en dat ze graag had teruggedacht aan een romance in Parijs. Dat is alles. Hij denkt dat zij en Jack wellicht iets te maken hebben gehad met een antiekzaak (uitdragerij) – waar leefden ze van? Hij herinnerde zich ook dat Rene een paar keer in het ziekenhuis had gelegen. Hij zei dat de conciërge in flat 3 wellicht meer informatie zou hebben, omdat die na haar overlijden de flat had leeggehaald. We kregen geen gehoor bij zijn flat, maar we hebben een briefje met jouw nummer achtergelaten, waarin we hebben uitgelegd wat we wilden. Hij heeft nog niet teruggebeld.

Zo, daar was mijn vader. En Parijs? Parijs was er altijd geweest. Ik vroeg me af of ze in hetzelfde ziekenhuis had gelegen als ik, of was het soms om haar lichamelijke gezondheid gegaan, toen haar tumor was ontdekt? Kanker van de alvleesklier. Ach, waarom niet? Een mens moet ergens aan doodgaan. De meesten overlijden aan kanker.

Door naar Flat 11, wat John had aangeraden, omdat de bewoner bij de grote verhuizing van, vermoedelijk, halverwege de jaren tachtig was geweest. Er werd niet opengedaan, maar er was genoeg bewijs om te zien wat voor man zich achter de deur schuilhield. Er waren twee dingen op zijn deur geplakt: een kaart van trappende neonbenen op hoge hakken die in diverse spiegels te zien waren, en een met de hand geschreven bijbelcitaat dat je welkom was, met boven de eigenlijke tekst enkele toegevoegde woorden, van hemzelf of omdat hij een of twee fouten had gemaakt. Zo te horen werd er driftig afgewassen. We hebben een tijd staan bonzen. Ik weet niet of deze man het best bevriend is geweest met Rene – afgaande op wat jij hebt gezegd lijkt hij er vreemd genoeg voor; misschien is hij de man met wie we echt hadden moeten praten. Wie weet. Maar we hebben het opgegeven. We zijn naar beneden gegaan, hebben naar de studenten met hun dozen gelachen en zijn vertrokken.

Ik was blij dat Chloe de afwassende maniak met de ansichtbenen en het foute bijbelcitaat had laten zitten. Ik had net zo genoeg van het huis van de licht gestoorden als zij klaarblijkelijk had gehad. We hadden allebei een duidelijk beeld gekregen. En daar was het dan. Mijn moeder was ontegenzeglijk dood; de onbekende rest van haar leven had ze in een somber huis in Hove gewoond, waar ze met een man had geruzied en aan Parijs had gedacht. Er was eigenlijk niets veranderd.

Chloe belde de volgende dag uit Zuid-Afrika op.
'Ben je van streek?'
'Nee. Ja. Uit mijn doen.'
'Geen wonder. Maar ze bleek tenminste geen lieve oude dame te zijn geweest die alom werd bemind. Daar was ik bang voor. Het was enigszins een opluchting om te horen dat ze precies zo was gebleven als jij me had verteld.'
'Voor mij ook.'
Chloe had gelijk; het was een opluchting om te weten dat mijn versie van mijn moeder was bevestigd. Misschien had ik de feiten verdraaid of was ze opgebloeid; mensen veranderen – het was min van me, maar ik was blij te horen dat dat niet was gebeurd. Het huis dreunde nog van hun ruzies en toen de man met wie ze ruzie had gemaakt was overleden, wilde ze niet meer leven.

Het was in zekere zin vreselijk dat het zo'n opluchting voor me was om te ontdekken dat ze precies zo was gebleven als ik me haar herinnerde – dat ze zo was geweest als ik me haar herinnerde. Het was, als altijd, niet eerlijk tegenover haar. Maar toen ik Chloe's aantekeningen was gaan lezen, was ik even heel bang geweest dat alles wat ik me herinnerde, alles wat ik aan mijn dochter had verteld, misschien louter verbeelding, fantasie, een verzinsel was. Of dat ze zich volledig had ontplooid en een totaal andere vrouw was geworden toen ze eenmaal van een slechte en ondankbare dochter was verlost. Hoe had ik dat gevonden? Als ik enig fatsoen had gehad, was ik blij voor haar geweest. Maar dat heb ik niet. Ik ontdek liever dat ik mezelf en Chloe niets over haar heb voorgelogen. Ik heb liever dat mijn moeder steeds ongelukkig is gebleven dan dat ik erachter kom dat ik het al die jaren mis heb gehad.

'Toch zielig dat ze niet meer wilde leven,' zei Chloe.

'Ja, maar Bill E. wist niet dat mijn moeder drie keer per week niet meer wilde leven. Dat was een gewoonte van haar.'

'Ga je nog naar Hove?'

'Nee.'

'Schrijf je nog naar de conciërge?'

'Nee.'

'Maar ben je blij dat ik ben gegaan?'

'Zeer. Zeer blij. Dank je wel.'

'Graag gedaan. Toch goed om het eindelijk van je moeder te weten, hè?'

'Hmm. Ja, ik geloof het wel.'